疑う、知る、考える
哲学をはじめる

青柳雅文
Aoyagi Masafumi

ミネルヴァ書房

はじめに

本書は、哲学に関心や興味を持った皆さん、哲学をはじめて学ぼうという皆さんに向けて書かれました。

皆さんは、哲学を学ぶ、となったらどうするでしょうか。「哲学」と聞くと、いろんな哲学者の名前を思い浮かべるひともいるかもしれません。あるいは、彼らの言った有名なフレーズを知っているひともいるかもしれません。ですから、いざ学ぼうとなれば、哲学者の著書を読んだり、哲学の入門書や解説書を読んだりしながら、そうした名前やことばを覚えて知識にしてゆくでしょう。

皆さんはこれまで、世のなかや学校から、たくさんのことを教わり、覚えてきています。そして必要があれば、その覚えたことを思い出して役立てていきています。たとえば試験のために勉強するとき、教科書やノートを開き、習った公式や単語を覚えるでしょう。そして試験の当日、そうして覚えたことを思い出しながら、答案を書き上げるでしょう。またたとえば仕事をするときには、手順を覚え、その覚えたことを思い出しながら、実際の業務をこなしてゆくでしょう。こうして皆さんがやってきたことは、情報を入力し、それをことあるごとに出力することです。そして入力した情報を蓄積することで、より多くのことを出力できます。つまりそれが、勉強ができる、仕事ができるということです。こうしてできるようになることが、「学ぶ」とか「学習する」とか呼ばれるのです。

このような情報の入出力は、たしかに皆さんが生きてゆくのに役に立つことです。けれどもなかには、このような入出力さえしておけばよいと思うひともいるのではないでしょうか。そういうひとは、まるで機械のように、情報をただ自動的に入出力することで満足してしまうでしょう。たとえば試験のためだけに覚えて、当日に思い出しさえすれば、その後はさっぱり忘れてしまうのかもしれません。このように思わないまでも、皆さんがこれまで「学ぶ」と呼んできたやり方で、今度は哲学を学ぼうと思っているかもしれません。

本書は、こうした情報の入出力をしていただくようには書かれていません。本書のなかでは、哲学者の名前や彼らの有名なフレーズは登場しません。皆さんからすれば、そのような名前やフレーズはあったほうがわかりやすいかもしれませんが、「□□という人物は○○と言った」と覚えて満足してしまうでしょう。しかしそれらを覚えるだけで「哲学を学んだ」とは思ってほしくないのです。

本書は「疑う、知る、考える」と題されています。哲学を学ぶのには、まずは哲学する「型」や「所作」にあたるものを学ぶことが大切でしょう。それはことば遣いや野球の素振りや楽器演奏の呼吸法などと同じようなものです。そこでまず学んでいただきたいのが、「型」や「所作」である疑うこと、知ること、考えることなのです。皆さんには本書をつうじて、こうした「型」や「所作」を学んでいただき、そのうえで哲学者の著書を、あるいは哲学の入門書や解説書を読んでいただきたいです。そういう点で言えば、本書は哲学に入門する手前にありますし、哲学を本当にはじめるためにあります。

さて、本書は全部で六部構成です。序章と「第Ⅰ部　疑う、知る」では、哲学するための基礎として、どこまでも問い続けようということ、疑うということ、本当の意味で知っているということについて取り上げています。そして続く「第Ⅱ部　もっと疑う、もっと知る」では、何をどこまで知ることができるのか、第Ⅰ部からさらに問いを掘り下げます。この第Ⅱ部までは、途中で難しいと思っても、ぜひ哲学の営みを一緒に追体験しながら読み進めていただきたいです。さて「第Ⅲ部　存在する」では、それまで疑い、知ろうとしたものの存在するわけにまで問いが投げかけられます。そして人間のあり方についても問いの焦点が当たります。次の第Ⅳ部からは、いくつかの角度から意見を提示しながら話が進みますので、皆さん自身でもさまざまに問い続けてもらえればと思います。その「第Ⅳ部　行為する」では、人間が実際に行為する際の基準、道徳・倫理や善悪が問われます。続く「第Ⅴ部　社会に生きる」では、個人と社会の関係、責任や価値の概念が問いの対象です。そして最後の「第Ⅵ部　人間として生きる」では、生きていることそのものや、人間であるということそのものにまで問いが向かいます。終章にまでたどり着いたら、本書の全体を振り返ることになるでしょう。なお、それぞれの章末には、関連する参考図書を載せています。

本書の各章は独立した内容になっていますので、どこから読んでもかまいません。その一方で、本書は全体として、ひと続きの物語にもなっています。また物語はひとつではなく、いくつもの話が織り込まれています。関連性のあることばや、暗示的なことばもあるかもしれません。

本書を読み進めれば、もしかしたら視界が開け、あたらしい景色が見えるかもしれません。本書は、そうした景色への歩みそのものです。歩みの先にはトビラがあります。ですから本書をつうじて、哲学の世界へのトビラをぜひ開いて、その向こうへと入っていただきたいと思います。

疑う、知る、考える　哲学をはじめる

目次

第Ⅳ部　行為する

第V部　社会に生きる

序章　哲学するために

「哲学」のイメージ

私たちは、「哲学」にどんなイメージを持っているでしょうか。哲学とはなんですかと聞かれたら、なんと答えるでしょうか。いったい哲学とはどんなものでしょうか。

たいていの場合、哲学は難しそうなものだと思われています。哲学の本を読んでも内容が理解できませんし、そもそも使われていることばの意味がわかりません。これでは、私たちに哲学がわかるわけがありません。こういう難しそうなものなので、これまで哲学ときちんと向き合って生きてこなかったでしょうし、これからも哲学と向き合わずに生きてゆくことになるかもしれません。

すると、哲学というのは、現実離れした仙人のような哲学者たちが、「人生」とか「愛」とかいう難しそうで抽象的なことをあれこれ言っているもののように見えます。ですから哲学は、私たちの日常生活とは無関係のもの、私たちにとってなんの役にも立たないものだと思われています。

それでも哲学は、たとえ私たちに無関係で役に立たないように見えるとしても、実はとても大切なことをしているのかもしれません。哲学者たちは私たちの理解を超える、とても深いことを言っていて、きっとものすごいことをやっているにちがいありません。ですから哲学は、高尚で深遠なものだと思われています。

哲学はどれだけ深いこと、ものすごいことを扱っているのでしょう。こう思うと、私たちのなかには、哲学を学んでみようと興味が湧くひとも出てくるかもしれません。哲学を学べば、世のなかの不思議な謎や大きな疑問がたちどころに解決し、本当のことが全部わかるような気がします。ですから哲学は、世のなかの真実や真相がわかるものだと思われています。

わからないことがわかる、というのが哲学ならば、興味が湧いてくるひとはもっと出てくるかもしれません。私たちは日々、わからないことや、答えの出ない悩ましいことに出会います。人生は、かんたんに答えの出ない難しいことばかりです。このようなときに哲学に触れれば、その答えがあっという間にわかり、私たちがどのように生きたらよいのか、そもそも私たちの人生の意味は何か、ということもわかるかもしれません。ですから哲学は、まるで心の処方箋のように、私たちの日々の悩みを解消してくれるもの、人生の答えを教えてくれるものだと思われています。

そしてこれからも哲学さえあれば、人生の苦悩から解放されて幸せに生きてゆく術がわかるかもしれません。そのような術を教えてくれて、私たちを幸せにしてくれる哲学者たちのことばというのは、ありがたい教えであり、人生の金言・格言だと思われています。

「哲学」と聞くと、およそ以上のようなイメージを持たれることが多いです。では実際のところ、哲学とはどんなものでしょうか。

哲学のみなもと

そもそも哲学は、どのようにしてできたのでしょうか。それがわかるヒントは、哲学ということばが作られた歴史にあります。

日本には昔からずっと、哲学それ自体はあります。しかし「哲学」ということばは、実は比較的あたらしいものです。西洋文化がもたらされたとき、さまざまなことばが日本語に訳されました。該当する日本語がなければ、あらたに作られました。「哲学」ということばも、そのとき作られたもののひとつです。日本語の「哲学」は、「フィロソフィー」（ヒロソヒー）ということばを翻訳してできました。

「哲学」ということばは、「フィロソフィー」（ヒロソヒー）に由来します。「フィロソフィー」（ヒロソヒー）は、英語ならば"philosophy"、フランス語ならば«philosophie»、ドイツ語ならば„Philosophie"です。さらに「フィロソフィー」（ヒロソヒー、"philosophy"、«philosophie»、„Philosophie"）は、西洋の歴史をさかのぼれば、古代ギリシャにまでたどり着き、あることばに由来していることがわかります。それがギリシャ語の«φιλοσοφία»（ラテン文字に変換すると«philosophia»）です。これが「哲学」の語源だと言われています。私たちが使う「哲学」ということばは、こうして古代ギリシャからやって来たのです。

ところで実を言うと、この«φιλοσοφία»は、もともとふたつのことばからなる、いわゆる合成語なのです。そのふたつのことばとは、«φίλος»（«philos»）と«σοφία»（«sophia»）です。一方の«φίλος»は、

「愛求する」という意味の《φιλέω》からの変化形であり、他方の《σοφία》は、「知」「知恵」を意味します。つまり、《φιλοσοφία》は「愛求する」と「知」の合成語であり、その意味は「知を愛求すること」です。これが「フィロソフィー」（ヒロソヒー）になり、日本語では「哲学」と訳されたのです。

したがって、哲学の語源は知の愛求、つまり知ることへの欲求であり、言い換えれば、私たちの知的欲求、知的好奇心のことであり、さらにくだけた言い方をすれば、私たちが**知りたい**と思うことなのです。こうした私たちの知の愛求、知りたいと思うことこそが、哲学ということばのみなもとであり、哲学のスタートラインだと言えます。哲学とはさしあたり、**「知りたい」からはじまる営み**を意味するのです。

疑問を持ってどこまでも問い続けよう

哲学は、私たちの「知りたい」からはじまります。そして私たちは、さまざまなことを知ろうとして、疑問を持ちます。こうして疑問を持つことで、何を知ることができるかと言えば、知りたかった**本当の答え**です。そしてこれとともに知ることができるのは、どうしてその答えとなったのか、その**本当のわけ**です。

たとえば、いま私たちが本書を座って読もうとします。私たちが座ろうとしているそれはなんでしょうか。何かと聞かれたら、なんだろう、と疑問に思い、それを知ろうとするでしょう。私たちが知りたいと思い、それがイスだとわかったとき、この「イス」が、私たちの知りたかった答えです。

では、この「イス」という答えが出てきたのはどうしてでしょうか。なぜそれが「イス」と言えるのでしょうか。たとえば座ることができる、机やネコには見えないなど、少なくとも、それがイス以外の何ものでもないと断言できるわけがあり、それゆえにそれはイスなのです。「イス」という答えを成り立たせている根拠として、知りたいという私たちの欲求の引き金となったものが、わけと呼ばれるのです。

このように私たちは、答えやわけを導き出します。哲学は、疑問を持って、本当の答え、本当のわけを導き出そうとします。そして本当の答えや本当のわけが導き出されれば、それを私たちは「知っている」と言うのです。

哲学とはこういうことだと言われて、どう思うでしょうか。疑問を持つことぐらいよくあることですし、答えやわけなら、哲学などと言われなくても、いつでも導き出しています。何かと問われて答えを出すくらいなら、そんなのかんたんではないかと思うでしょう。しかし、こうして疑問を持って、導き出された答えやわけは、本当の答え、本当のわけなのでしょうか。そうに決まっていると思うかもしれませんが、答えやわけを知ることができたとき、それで十分納得できるときもあれば、納得できないときもあるのではないでしょうか。出てきた答えやわけが怪しげなときもあります。

たとえば、興味のあるニュースがあり、知りたいと思い、ある記事を読んだとします。けれどもその記事の内容に納得できない、記事の内容がどうも怪しいと疑問に思うとき、私たちは、そのニュースについての別の記事を読もうとするでしょう。それは本当のことを知りたいからです。その別の記事でも納得できなければ、さらに疑問を持ち、さらに別の記事を読むでしょう。興味のあること、知りたいことがあれば、本当のことがわかるまで、次々と記事を探すはずです。

こうして私たちは、納得できる答えを探し続け、物事の答えやわけが何か、**どこまでも問い続ける**ことになります。これこそが、哲学がおこなっていることなのです。もちろん、答えやわけを知りたいと思って、疑問を持つだけであるならば、それは哲学でなくてもやっています。しかし重要なのは、哲学がおこなっているのは、疑問を持ってから知るところに至るのが一度だけに留まらず、おわりなく続く点です。哲学とはまさに、この**どこまでも問い続ける営みそのもの**だと言えるのです。

批判をしよう

哲学が答えやわけをもとめてどこまでも問い続けることだからと、私たちはただ闇雲に疑問を持てばよいのではありません。本当の答えや本当のわけをもとめて問い続けてゆくには、何かしらの方法が必要です。

哲学では、何か疑問を持ち、その答えやわけをもとめようとするとき、それを探究し見つけ出す方法があります。それが**批判**です。

この批判ということばについて、少し説明が必要でしょう。ふだん「誰かを批判する」とか「何かを批判する」とか言うときに、私たちはこの表現を、ネガティヴな意味で理解しているように思われます。つまり相手の誤りや欠点を指摘して咎めるような意味合いで、批判ということばを使っていることが多いでしょう。この場合、「批判」は「非難」ということばと同じような意味で使われています。

しかしこれは、批判ということばの理解としては十分だとは言えません。批判を意味するクリティーク（"criticism"、«critique»、„Kritik"）ということばの由来は、哲学ということばと同様に、歴史的には古代ギリシャにまでさかのぼります。ギリシャ語の«κρίνω»（krinō）が、そのみなもとです。この«κρίνω»は、「分ける、区別する」という意味です。したがって、もともと批判ということばは、何かを細かく切り離して分けてゆく意味があるのです。

では、実際に批判とは、どのような方法なのでしょうか。

イスについて知る場面を例としましょう。最初は、それがイスだと知りません。見たことのない物体にはじめて出会うという場面です。私たちは、その物体が何かと疑問を持ったら、それを知ろうとします。このとき、ただぼんやりとその物体を眺めているだけでは何もわかりません。座ることができそうだ、下には脚がついている、背もたれのようなものがある、材質を見ると木で作られているようだ、裏をひっくり返すとメーカーが書かれているなど、その物体の別の面を見たり、見えなかったところを見たりして、さまざまな角度から見ます。また、その物体がどのようにして作られているのか、さまざまな部分に細かく分けて、成り立ちや組み立てを調べます。さらに物体を分解してみれば、座面、背、脚などの部品や、それらを留めるネジなどがわかるだけでなく、強度や平衡を保つ仕組みもわかってきます。そこから、とても頑丈に作られていて、座るのにはとても適しているが、その上で字を書くには不便で、放り投げても空を飛ばずに落ちて壊れ、水に浮かべると沈んでしまうこともわかるのです。こうして、どうやらこの物体は座るために作られた物体ではないか、私たちが「イス」と呼んでいるものにあてはまるのではないか、という見当がついてきます。私たちは、その物体はイスだと、しっかりと確信を持って言えるようになります。こうして私たちは、その物体をイスだと知るのです。

私たちは批判をつうじて、まず物事をさまざまな角度から見ます。すると、その物事のいろいろな面、要素や成分、組み合わせのあることがわかります。このように、その物事がいったいどんなもので、どんなことなのか、その中身を詳細に調べ、吟味すると、今度はそれらの吟味したことを総合して、その物事にどんな能力が備わっているのか、その能力をどこまで及ぼすことができるのか、あるいはどこから先は及ぼすことができないのか、つまりその物事にどんなことができるのか、あるいはできないのか、ということが明らかになります。批判によって、その物事の能力、範囲、限界、可能性が明らかになるのです。

私たちは、こうした批判という方法を使いながら問い続けることで、知りたいと思う本当の答えや本当のわけを導き出すことができるのです。

哲学を再開しよう

さて、哲学とはこうやって知りたいと思ってどこまでも問い続けることなのだ、と言われて、どう思うでしょうか。やはり難しそうに感じるでしょうか。哲学にたいして、あまりなじみ深く思わないかもしれません。私たちはふだん、疑問を持つことがあっても、そこからどこまでも問い続けることまではしないでしょう。日常生活のなかでは、問い続けなくても、ある程度のところまで答えが出ていれば、それで十分生きてゆけますし、問い続けなければならないほどの必要性を感じません。

では、日常生活でもあえて問い続けてみたとします。どこまでも問い続けることは、答えやわけが導き出せても、問いをやめずに、本当の答えや本当のわけを探すことです。答えは何か、それはなぜなのか、ずっと問いかけます……。これはいつまで続くのでしょうか。それは誰にもわかりません。このまま問い続けて、最終的に答えやわけが出てくるかわかりませんし、本当の答えも本当のわけも、永遠に出てこないかもしれません。それだと、問い続けている途中で、きっと問うのが嫌になってしまうのではないでしょうか。答えもわけも出てこないのに延々と問うことをしていたら、激しい徒労感に陥りはしないでしょうか。

このように見てくると、問い続けてもなんの意味もないような気がしてきます。けれども本当にそうでしょうか。

たとえば、幼い子どもには「質問期」と呼ばれる発達段階があります。この時期の子どもは、知的欲求、知的好奇心に動機づけられて、さまざまなことを、「なぜ?」「どうして?」と大人に問いかけてきます。そしてその欲求や好奇心をさらに膨らませます。これは私たち人間の心の成長には欠かせません。もともと私たちは誰であれ、知的欲求、知的好奇心にもとづいて、どこまでも問い続けようとするのです。

ところが、成長とともに大人になるにつれ、私たちはどこまでも問い続けるということをしなくなります。それはもちろん人間として成長しているからなのですが、問い続けること自体が難しくなるのも事実です。現実問題として、日常的にどこまでも問い続ける生活を送ろうとするのは至難の業です。たとえば、お腹が空いたらどうするでしょうか。何か食べるものを探すでしょう。冷蔵庫を開けると、昨日買ったケーキがあったとします。ふだんならそれを食べておわりです。しかし食べるのを待ってください。冷蔵庫にあるケーキは、本当にケーキでしょうか。いや、昨日買ったはずです。しかし昨日買ったのも本当のことでしょうか。いま目の前にあるケーキも、本当にケーキなのでしょうか。ケーキでないかもしれないし、こうやって冷蔵庫を開けてケーキを見ていること自体、実は夢のなかの出来事かもしれません。「実際に食べてみればわかるじゃないか」と言うひともいるでしょう。けれども食べたときの味や感触は、とてもリアルな夢かもしれないし、ヴァーチャル・リアリティ（仮想現実）で見せられている精巧にできた疑似体験かもしれません。

またたとえば、先ほどイスだと思って座ろうとした物体は、はたして本当にイスでしょうか。それはなぜイスなのでしょうか。もしかしたらそれはイスでないのではないでしょうか。誰かに私たちは騙されているのではないでしょうか。

私たちはこうやって疑問を持って問い続けていたら、いつまでたってもケーキを食べられないし、座ることもできなくなります。このように、どこまでも問い続けることをしていたら、日常生活を送ることはできません。ですから私たちは、問い続けるのをやめて生活しているのです。

しかしながら、私たち人間は、もともと知的欲求、知的好奇心があり、**生まれながらにして知りたいと思い、どこまでも問い続けようとしています。**いまはたんに問い続けることを中断させているにすぎません。しかもこの問い続けることは、特別な資格や技術がないとできないものではありません。疑問に思って問い続けることは、誰にでもできることであり、幼い子どもでも自然にできていたことです。したがって私たちは幼いときから、知りたいと思って問い続けること、つまり哲学することをおこなってきたのです。実は、**すでに私たちは哲学していた**のです。ただし、**いまは哲学することを中断させて生きているにすぎない**のです。ですから本当は、私たちはこれから哲学をはじめるのではありません。哲学はすでにはじまっていたのです。

私たちにとって哲学とは、本当は、なんだかよくわからないものではありません。哲学は、私たちの日常から遠く離れたところにあるのでもありません。実は私たちのとても身近なところにあります。また哲学は、たちどころにすべてがわかるものでもなければ、ありがたい教えでもありません。哲学はどこまでも問い続ける長く遠い道のりですが、哲学に答えがないのではありません。正解がなかなか見つからないことはあっても、答えがないのではありません。私たちは生まれてからずっと哲学しているのです。いまはそれを一時的にやめているだけです。

私たちは、これから哲学を**再開する**ことになります。そこで私たちは、なんだろうか、本当だろうか、なぜだろうかと、疑問を持ってみましょう。そして面倒でも、少しずつ問い続けてみましょう。

私たちは、いますぐにでも哲学することができるのです。では引き続き、哲学することを一緒に追体験してみましょう。

参考図書

クセノフォーン『ソークラテースの思い出』佐々木理訳、岩波文庫
プラトン『ソクラテスの弁明／クリトン』久保勉訳、岩波文庫
プラトン『饗宴』久保勉訳、岩波文庫
アリストテレス『形而上学』出隆訳、岩波文庫

第Ⅰ部　疑う、知る

第一章　私たちは本当に「知っている」のか

「知っている」と言う私たち

ふだんの私たちは、たくさんのことについて「知っている」と言っています。たとえばいま目の前にあるのがイスだとかコンピューターだとかいうのを「知っている」し、自分の部屋のことも「知っている」でしょう。私たちはイスを公園とは呼びませんし、コンピューターをフライパンとは呼びませんし、自分の部屋をリンゴとは呼びません。そのように呼ぶのはまちがいです。そんなまちがいはありえません。イスは絶対にイスですし、コンピューターは絶対にコンピューターですし、自分の部屋は絶対に自分の部屋です。まちがいなく絶対にこうだと思っていることこそが、「知っている」ことです。

このように「知っている」ことを、自分自身しか知らないということはありません。たいていほかの誰かも、同じように「知っている」と言ってくれます。私たちがイスだと思っているものを、別の誰かが電子レンジだと言い張ることはありません。誰もがイスをイスと呼びます。

逆に、「知っている」はずのことを「知らない」と言うひとがいれば、そのひとは何かおかしいのではないか、と感じてしまうかもしれません。たとえば身の周りに、イスをイスだと「知らない」と言うひとがいたら、どう思うでしょうか。そうやって「知らない」と言うひとがいれば、「そんなの知っていてあたりまえだよ」とか「それは常識だよ」とか思ったり言い返したりしてしまうのではないでしょうか。

世のなかでは、誰もがごく自然に思っていること、つまり誰もがふだん「知っている」と言っていることを、あたりまえのこと、ふつうのこと、常識だと呼んでいます。イスがイスなのはあたりまえのことです。イスを指してイスと呼ぶのはふつうのことです。イスを「知っている」のは常識なのです。

こうして私たちが当然「知っている」ことのなかで、自分自身がもっとも「知っている」ものはなんでしょうか。ほかの誰よりも自分自身が「知っている」もの、それは私たち自身ではないでしょうか。私たちは、この世に生まれたときから、私たち自身、自分自身と四六時中一緒にいます。これまでずっと離れることがなかったし、そしてこれからもずっとそうでしょう。私たちは誰よりも自分自身と一緒にいるので、秘密にしていることなど、ほかのひとが知らない自分自身のこともよく「知っている」のです。ですから私たちは、自分自身のことを何よりも、誰よりもいちばんよく「知っている」はずです。「自分のことは自分がいちばんわかっている」と言われるように、私たちが自分自身を「知っている」のは当然であり、それがまさにあたりまえのこと、ふつうのこと、常識なのです。

知らないなんてあるだろうか

私たちは、「知っている」ことに疑問を持ちませんし、自分自身のことはもちろんのこと、目の前にあるもののことも、身の周りにある世界のことも「知っている」と言います。けれども世のなかには、私たちが当然「知っている」ことを、やはり「知らない」と言うひとがいます。

たとえば、イスやコンピューターのことを知らないひともいるかもしれません（赤ちゃんがイスを知らない、というような、人間の認知能力の問題は、ここでは除外しておきます）。実際のところ、コンピューターが普及していない地域はありますから、その地域のひとがコンピューターを知らないことはありえるでしょう。またコンピューターが発明されるはるか以前の時代ならば、誰もコンピューターを知っているはずがありません。

このように、ひとや時代や地域が変わると、当然「知っている」と思われることを、知らないことがありえます。では、私たちが「知っている」と言えるのは、あたりまえのことでもふつうのことでもなく、常識でもないことになるのでしょうか。

先ほど述べた、自分自身を「知っている」場合はどうでしょうか。自分自身が誰だかわからない、自分自身のことを知らないというひとはいるでしょうか。私たちとはちがって、自分自身のことを知らずに生活しているひとが、どこかの地域にいるでしょうか。私たちとはちがって、大昔のひとは自分自身のことを知らずに生きていたのでしょうか。いずれもそんなことはありません。いつの時代にも、どんな地域でも関係なく、誰であっても、私たちと同じように、自分自身のことを「知っている」と言っています。ということは少なくとも、私たちが自分自身のことを知らない、ということはありえません。私たちは誰もが自分自身のことを「知っている」し、私たちの「知っている」自分自身は、絶対に自分自身なのです。

するとやはり、「私たちが「知っている」と言えるのは、あたりまえのことでも、ふつうのことでも、常識でもないのだ」と言うことはできないのです。

常識というワナ

たしかに、私たちは自分自身のことを誰よりもいちばん「知っている」と言えますし、知らないことはありえません。けれども、次のような経験をしたことはないでしょうか。

周りの家族や友人から、「暇なとき、いつも髪の毛を触っているね」とか、「ごまかそうとすると鼻をかくよね」とか言われて、ハッとしたことはないでしょうか。ちょっとした態度や表情、しぐさなど、自分自身のクセを誰かに指摘されて、驚いたり恥ずかしい思いをしたりした、というような経験です。このとき私たちは、いちばん「知っている」はずの自分自身に、知らない面のあることを気づかされます。しかもそれは、私たち自らがわかるのではなく、ほかの誰かから指摘されるのです。ですから私たちは驚いてしまうのです。

このような経験をすると、私たちが自分自身のことをいちばん「知っている」とは、本当は言えないのだというのがわかります。そしてこのことから私たちは、「どんなことでも絶対に知っている」

と言えなくなってしまいますし、それを「あたりまえのことだ」とも、「ふつうのことだ」とも、「常識だ」とも言えなくなってしまうのです。

ではこのときに、自分が知らなかったのだと、素直に認めるでしょうか。それとも、知らなかったと思われないように振る舞うでしょうか。知らなかったクセをほかの誰かから指摘されても、以前から知っていたかのような素振りをしてはいないでしょうか。こういう素振りをしてしまうならば、そこには**常識というワナ**が待ちかまえています。

たとえば「あなたは常識がない」と言われたら、きっと嫌な気分に、とても恥ずかしい気持ちになるでしょう。「そんなことも知らないのか」となじられることもあるでしょう。世のなかでは、常識を知らないこと、非常識であることは、ダメなことだと思われています。常識は知っていて当然なのです。ですから私たちは、非常識と思われないようにして、そしてなんでも「知っている」かのような顔をして、日々過ごしてはいないでしょうか。こうして、知らないなんてありえない、「知っている」のが当然でなければならない、という気持ちにとらわれます。これこそが、常識というワナなのです。

実際私たちは、「知っている」とは言えない経験をいくつもしているはずです。それにもかかわらず、私たちは、そうした経験がまるで最初からなかったかのように、なんでも当然「知っている」ように思っています。そして世のなかには「知っている」ことしかないかのように振る舞い、知っているのが「あたりまえだよ」とか「常識だよ」とか言います。知らないことが出てきても、「本当は知っているのだ」と言い張ります。そこまで強く言い張らないとしても、自分に知らないことがあるのを認めないでしょう。自分自身についても、すべてを知らないことはなくても、ある程度は知っていると言えるでしょう。しかしクセを指摘されたときのように、知らないこともあります。それなのに私たちは、まるで知らないことがないかのように過ごしているのです。私たちは、常識というワナに陥ると、自分自身の無知をごまかし、なんでも知っているかのような態度を見せようとしてしまうのです。さもないと、非常識だ、無知だと思われてしまうからです。あたりまえのことやふつうのことや常識を知らないなんてありえませんし、あってはならないのです。

こうして私たちは、すべてを知っているわけではないのに、知っている**つもり**になるのです。

知らないことを知っている

私たちがふだん「知っている」と思っていることは、実は本当に知っているのではありません。私たちは知らない面のあることに気づかないままの状態です。たとえば自分自身とは、ほかの誰かから指摘されたクセも含めて自分自身なのですが、そのことを私たちは知らずにいます。私たちは、自分自身の全部を知っているわけではないのに、ある程度までわかっているだけで「知っている」と言ってしまっています。このように、ふだんの私たちが「知っている」と言っていることは、特定の角度しか見ていない、部分的で一面的な知識にすぎないのです。

こういう部分的で一面的な知識のことを、偏見と呼ぶことができます。私たちはふだん、常識というワナにとらわれていると、こうした偏見しか持っていないのに「知っている」と言って、知っているつもりになっています。これだと私たちは、本当の意味で知ることができません。それでは、私たちはどうしたら、常識というワナから脱け出して、偏見を持たずに「知っている」と言うことができるのでしょうか。

先ほどの事例で私たちは、自分自身のことを誰よりも「知っている」はずなのに、私たちの知らない自分自身がある、ということに気づかされていました。しかも、その知らない自分自身のことは、ほかの誰かから指摘されました。このとき私たちは、常識というワナから脱け出すチャンスを得ています。そして私たちは、知っているつもりなのではなく、本当の意味で知っていると言えるふたつのことを知るようになるのです。

私たちは第一に、自分たちには**知らないことがあることを知る**のです。これがなければ、私たちはそもそも知りたいと思うこともないでしょう。知りたいと思うきっかけとなるのが、知らないことを知ることなのです。そして私たちは第二に、自分たちには**「知らないことがあることを知らずにいる」ことを知る**のです。これがなければ、まるでなんでも知っているかのように錯覚し、自分自身の知識にたいして傲慢になることでしょう。私たちは、自分自身について知らない面があるのに、自分自身のことを「知っている」のだと、何食わぬ顔をして生活している自分自身に気づかされるのです。

さらに私たちは、自分自身の知らないことを、ほかの誰かが知っているのに気づきます。それは考え方や価値観が、自分自身が思っている以外にもあることを意味します。このことから私たちは、自分とは異なるほかの誰かの考え方や価値観のあることに気づけるようにもなりますし、**考え方や価値観が多様であること**に気づけるようになるのです。

このように私たちは、常識というワナから脱け出すことによって、絶対にそうだと思っていることが「知っている」こととは限らないとわかります。そして私たちは、まずこのふたつのことを知ることによって、本当の意味で**知っている**とはどういうことか、あらたな問いがはじまるのです。

参考図書

プラトン『ソクラテスの弁明／クリトン』久保勉訳、岩波文庫
プラトン『テアイテトス』田中美知太郎訳、岩波文庫

第二章　考え方は「ひとそれぞれ」なのか

幸せとはなんだろう

唐突ですが、幸せとはなんでしょうか。何が幸せと言えるでしょうか。

いまこのように問われて、どのようなことをイメージしたでしょうか。何かしら思いついたとすれば、きっとそれが私たちの「知っている」幸せのことでしょう。たとえばおいしいものを食べていることとや、ゲームに夢中になっていることかもしれません。私たちがふだんから「知っている」この幸せこそが、私たち自身にとっては絶対に幸せであるはずです。

ではこの同じ問いを、ほかの誰かに尋ねたら、なんと答えるでしょうか。旅行に出かけるのが幸せとか、一日中寝ているのが幸せとか、いろいろと出てくるでしょう。私たちの「知っている」幸せと同じことを答えるひともいれば、ちがうことを答えるひともいます。このとき私たちは、「知っている」幸せが絶対に幸せだとは限らないこと、さまざまなひとのイメージするさまざまな幸せがありうることに気づくでしょう。

このように、さまざまな幸せがあることがわかったとして、今度は困ったことが出てきます。「自分の思う幸せ」と「ほかの誰かが思う幸せ」が異なるときに、あらためて幸せとは何かと尋ねられたら、私たちはどう答えるか、ということです。私たちは「自分の思う幸せ」を幸せだと思っているわけですから、それを幸せだと答えるでしょうし、「ほかの誰かが思う幸せ」は、私たちにとって幸せではないですから、それを幸せだと答えることはないでしょう。たとえば、旅行に行くことでなく、おいしいものを食べることだ、と答えるはずです。けれども、ほかの誰かが同じことを尋ねられたら、私たちが思っているのとは異なる「幸せ」を幸せだと答えるでしょう。旅行に行くことが幸せだと答えます。それはもちろん、私たちの思う幸せではありません。では、私たちとは異なる幸せを答える相手に向かって、「『自分の思う幸せ』こそが幸せであって、その相手が思う幸せは幸せでない」と言い張るでしょうか。「旅行に行くことなんか幸せでなく、おいしいものを食べることこそが幸せなのだ」と言うでしょうか。そんなことをすれば、ケンカになりかねませんから、実際に言うことはないでしょう。しかしもしそのように言い張ることをすれば、ケンカになるのはもちろんのこと、相手からは、自分勝手で独りよがりな意見だと思われるかもしれません。

それでは私たちのほうが、「ほかの誰かが思う幸せ」を幸せとして受け入れるでしょうか。旅行に行くのが幸せなのだと思うようにするということです。それは「自分の思う幸せ」とちがうのですから、受け入れるのは難しいでしょう。けれどもケンカにならないようにしようとすれば、「本当は食べるのが幸せなのに」と、内心では受け入れられなくても、表向きは「旅行に行くのが幸せだよね」と、「ほかの誰かが思う幸せ」を幸せとして認めざるをえないこともあるかもしれません。このように、「自分の思う幸せ」を幸せだとしながら、「ほかの誰かが思う幸せ」を受け入れざるをえないとき、私たちはこう言い聞かせて自分自身を納得させるのではないでしょうか。「考え方はひとそれぞれ」だと。しかし、本当にそうなのでしょうか。

多様な考え方は相対的になる

私たちはふだんから、自分の「知っている」ことがあたりまえのことで、ふつうのことで、常識だと思っていますし、とくに意識していなくても、絶対にそうだと思っています。しかしながら、私たち以外の誰かは、私たちとは異なることを「知っている」と思っています。このことから私たちは、考え方が多様であることに気づきますし、そこから導き出される答えもまた、多様であることに気づきます。

世のなかには多様な考え方があるのです。ほかの誰かは、私たちとは異なる考え方を持っているのです。そしてそうした多様な考え方から導き出される答えもまた多様なのです。ほかの誰かは、考え方と同様に、私たちとは異なる答えを持っているのです。

たとえば、同じ量に盛られた丼ぶりでも、それを「多い」と言うひともいれば、「少ない」と言うひともいます。多いと思うか少ないと思うかは、そのひとの考え方や価値観次第です。もちろんどちらであっても、まちがいではありません。ですから、丼ぶりの量について、ひとそれぞれの考え方や価値観から出てきたさまざまな意見のあることがわかります。そして私たちは、こうやって多くのひとのさまざまな意見を並べることができます。
さまざまな意見があるのは、多くのひとがいる場合に限りません。自分自身のなかでも、考え方や答えがそのつどちがうことはあります。私たちの考え方や価値観は、一生ずっと変わらないということはありません。五年前の私たちといまの私たちでは、考え方や価値観が変わっていることがあります。五年後の私たちならば、さらに変わっているかもしれません。たとえば先ほど述べた丼ぶりの量でも、日によって、あるいは自分自身の体調によって、そのつど多いと思ったり少ないと思ったりすることがあります。

ひとや地域や時代によって、考え方や価値観は多様であり、その答えもまた多様です。それは、世のなかにさまざまな意見がたくさんあることを意味します。たくさんの意見があれば、私たちはそれらの意見を比べて、好きなほうを選べます。また私たちは、自分のなかのさまざまな意見を比べることもできます。つねに変わらず特定のものを絶対にそうだと思うのではなく、そのつどさまざまなものと比較できることを、**相対的**と呼びます。考え方や価値観が多様だということは、相対的になるということを意味するのです。

私たちが「知っている」ことを絶対にそうだと思っているうちは、その意見はずっと変わりません。それは、ほかの意見を認める余地がなく、思い込みや独りよがりに陥るかもしれません。しかし私たちの考え方も答えも相対的になることによって、自分自身が思っているのとは異なる考え方や答えを持っているひとに出会い、それぞれ異なる考え方や答えを持っていることに気づけます。ひとそれぞれ、考え方もちがえば答えもちがうとわかるのです。

考え方が相対的ならどうなるだろうか

ずっと変わらない意見も絶対にそうだと言える意見もなくなれば、考え方や価値観が多様になりますが、こうして考え方が相対的になると、いくつかの問題も出てきます。

ひとつは、誰とも意見が合致しなくなってしまうことです。ひとによって意見が異なることは、意見がバラバラになっていることを意味します。そうなれば、それらの意見のうち、どれが本当のことなのかわかりません。たとえば、駅に行こうと思って、道行くひとたちに「駅はどこですか」と問いかけたとします。ひとそれぞれ考え方も出てくる答えもちがいますから、まっすぐ行けと答えるひともいれば、右に曲がれと答えるひともいるでしょう。その指し示す方角や順路もひとそれぞれちがうでしょう。しかしそれでは、どのひとの意見を信じればよいのかわからず、いつまで経っても駅にはたどり着けません。

もうひとつは、私たち自身の意見もそのつどちがい、首尾一貫しなくなってしまうことです。いまの自分と昨日の自分で考え方や答えが異なっていてもかまわないし、いまの意見とついさっきの意見が異なっていてもかまわないことになります。さっき「正解だ」と言ったことを、次の瞬間には「まちがっている」と言ってもかまわないのです。けれどもこれでは、自分自身がいったい何をしたいのかわからず、バラバラな行動の羅列になりかねません。

さらにもうひとつは、結局どの意見が正解なのか判断できなくなってしまうことです。駅への道はまっすぐなのか右折するのか、自分は何を思い、何をしたいのか、本当のところがわかりません。判断する私たち自身も、そのつど考え方は変わるのですから、どれが正解か決めても、すぐ後にそれをまちがいだと判断するかもしれず、最終的に正解を決められないことになります。そもそも、いまの私たち自身の意見が正解なのかどうかもわからないのです。

以上のようなことになれば、たとえば「ほかの誰かの持ちものを勝手に持ち去ってはいけない」という意見もほかの誰かと共有できなくなり、そういう行為を窃盗だと呼ぶひともいれば呼ばないひともいるし、勝手に持ち去るひとを泥棒と呼ぶひともいれば呼ばないひともいる、ということが起きかねません。これで実際に私たちの持ちものが勝手に持ち去られたとき、持ち去ったひとは悪いことだと思っていないかもしれません。逆に勝手に持ち去ることが褒められるべきことだと思っているひとだったら、そのひとを責めることができるでしょうか。警察に被害届を出そうとしても、通報する私たちのほうが悪いと言われるかもしれません。法律があるではないかと思っても、法律なんて守らなくてよい、という考え方を警察が持っているかもしれません。仮に泥棒を捕まえてくれても、明日にはお咎めなしで釈放するかもしれません。そんな警察はおかしいと思っても、警察とは何か、ひとによって考え方が異なるということになれば、私たちが思っている警察というのがまちがいで、泥棒を捕まえない警察、法律を守らない警察、善人を逮捕する警察もまたありうることになるでしょう。

極端な例だったかもしれませんが、考え方が相対的になることによって、目の前にあるものが何かと問いかけたときに、ひとによって答えは変わりますし、同じひとでもそのつど答えは変わることになります。そうなると、どんな問いに答えようとしても、本当はいったいなんなのか、いつまで経っても本当の答えがわからなくなるのです。

ひとそれぞれというワナ

このように言うと、反論が出てくるかもしれません。「誰とも意見が合致しなくても、そのつど自分の意見が変わっても、意見がバラバラであっても、別にかまわないのではないか、誰がなんと言おうと、明日答えが変わることがあっても、自分が正解だと思っている答えこそが自分自身にとって本当の答えだ」と。つまり、いま自分の信じる答えが本当の答えだということです。それならば、異なる意見を持つ誰かがいたら、自分の信じる答えや意見をその相手に押しつけそうなものですが、そういうわけではありません。相手の意見に従うこともなければ、自分の意見を相手に押しつけることもしません。そしてこのように言うのです。「考え方はひとそれぞれだ、だから答えもひとそれぞれだし、みんな意見がちがってかまわないのだ」と。さらには「ほかの意見と同じでないとしても、自分にとっての正解を見つけることが、私たちが問い続けることだ」と言うのです。

以上のような反論に、賛同するひとも多いのではないでしょうか。「考え方はひとそれぞれ」は、自分の意見が絶対だと思っているうちは言われません。自分以外にも多くの意見があることに気づいているからこそ、「考え方はひとそれぞれ」と言うようになります。考え方が相対的になることで、

「考え方はひとそれぞれ」は生まれるのです。

相対的であることは比較できることですから、ほかの誰かと比べられるのは嫌だと感じるかもしれません。またほかの誰かから意見を押しつけられるのもまた、嫌だと思うかもしれません。その一方で、相対的になることで生まれる「考え方はひとそれぞれ」は、同調圧力や競争社会に反対して、ひとりひとりの個性だと理解することも可能です。ですから、私たちの個性を認めてくれる「考え方はひとそれぞれ」は、望ましいこと、すばらしいことだと思うひともいるのではないでしょうか。

しかしながら、この「考え方はひとそれぞれ」は、このまま片づけられるものではありません。実はここには、**ひとそれぞれというワナ**が待ち受けているのです。

冒頭で取り上げた、幸せとは何かという問いを引き合いに出してみましょう。私たちは最初、当然のように幸せとはこういうものだと、たとえばおいしいものを食べることだと思っています。私たちにとって、それが幸せなのはあたりまえのこと、ふつうのこと、常識です。自分の思っている幸せこそが絶対に幸せなのです。しかし、これは私たちのたんなる妄想かもしれません。偏見かもしれません。もしかしたらそれは幸せでないかもしれません。食べることが幸せでも、実際に食べ続ければ苦痛です。私たちが思っているのとは異なる幸せがあるかもしれません。ひとによって別々の幸せがあるでしょう。では、ひとによって「幸せ」と言って指すものが異なるのなら、どの幸せが本当の意味で幸せなのでしょうか。それはわかりません。ほかの誰かの言う幸せが本当に幸せとは限りませんし、いま私たち自身が言う幸せすら、明日の私たちはそれを幸せでないと言うかもしれません。すると私たちは、自分で幸せと思えるものを幸せと呼べばいいし、ほかのひとはほかのひとで、幸せと思えるものを幸せだと呼べばいいではないか、と思うのではないでしょうか。私たちは、「考え方はひとそれぞれ」だから、幸せもまた「ひとそれぞれ」であり、やはり自分の思っている幸せこそが絶対に幸せなのだという結論に達します。こうして話はふりだしに戻ります。私たちは「自分の思っていることが絶対」というところから脱け出せなくなります。これこそが、ひとそれぞれというワナです。

世のなかでは多様な考え方が尊重されますし、もちろん大切なことです。しかしそれによって、絶対にそうだ、本当にそうだ、と思われていることがひとの数だけ存在してしまい、いったいどれが本当のことかわからなくなってしまいます。すると先ほどの事例のように、ひとそれぞれというワナに陥ると、ほかの意見に関心を向けず、自分の信じる答えだけが本当の答えだ、と思うようになり、自分だけの独りよがりな世界のなか、自分の妄想と偏見のなかに、永遠に閉じこもって生きることになります。どれだけ多様な考え方に出会っても、「考え方はひとそれぞれ」と言って無関心になり、結局は自分自身の考え方に戻ってしまい、その循環から脱け出せなくなります。

本当に知っていると言える条件①

私たちの考え方や答えは、ひとによってさまざまにあり、たしかに「考え方はひとそれぞれ」の数だけあります。すると本来ならば、ひとりひとりの意見はすべてちがっているでしょうから、誰とも意見が合わなくなるのではないでしょうか。

しかしながら、現実には、私たちはほかの誰かと意思の疎通を図ることができますし、たがいの意見を合致させることもできます。また、昨日の私たちと今日の私たちでは考え方や答えがまるでちがっていてもおかしくないのに、そのようにちがっていると思ったことはないし、現実には一応、同じ私たち自身として首尾一貫した意見を持ち続けています。これらはいったいどういうことでしょうか。

たとえば、ひとによってさまざまな考え方や答えがあっても、「幸せ」と言われて具体的にいろいろな事柄を思い浮かべるにしても、それらが「自分たちのあらゆる欲していることや願っていることや望んでいることが満たされている状態」を指すのは（全員ではないとしても）同意できるでしょうし、「ほかの誰かの持ちものを勝手に持ち去ってはいけない」とか「盗みは悪いことだ」という意見も、多くのひとに共有できるでしょう。

たとえ私たちがそれぞれ異なる考え方や答えを持ち、「ひとそれぞれ」だとしても、完全に意見がバラバラになってしまうのではなく、私たちと同じ意見をほかの誰かが持っていることも十分にありえます。私たちは、たがいに合致する部分を見つけることができますし、相手にそのような共通項のあることを認めることができます。このように、私たちには**共有できる考え方**や**共通の答え**がありま す。それは**普遍的**な考え方や**普遍的**な答えと呼びます。普遍的であれば、ひとや地域や時代に関係なく、ほかの誰かと合致する考え方や答えを持つことができますし、私たち自身も首尾一貫して問い続けて答えを導き出せます。いつ、誰が、どこであっても、共有できる考え方を持ち、共通の答えを導き出すことができます。ですから私たちは、駅に行こうと思って、道行くひとに「駅はどこですか」

と問いかけたとき、誰もが共通の答えを教えてくれるので、駅にたどり着くことができるのです。

　誰もが示す共通の答え、つまり普遍的な答えは、ひとや地域や世代に関係なく、いつどこで誰に聞いてもかならず出てくる答え、誰もが納得できる答えです。これこそが、より本当の意味での答えであり、確実な答えなのです。つまり確実な答えは、私たちの普遍的な考え方から導き出せるのです。したがって、考え方や答えの**普遍性**は、本当に知っていると言えるための、**第一の条件**なのです。

　ちなみに、こうした普遍的な考え方や答えは、同調圧力から生まれる意見とはまったくちがいます。同調圧力が生み出す考え方や答えは、私たちに強要された特定の意見にすぎず、私たち自身が本来持っている意見ではありません。ですから私たちはそれを圧力だと感じるのです。普遍的だということは、このように無理強いされたものでなく、ひとりひとり別々の存在でありそれぞれ個性を持っているにもかかわらず、誰の意見にも含まれている共通項、私たちの間で共有されている考え方や答えを指すのです。

　私たちは、どういうものを指して「幸せ」と呼ぶのかについて、昨日も今日も首尾一貫して導き出すことができ、ほかの誰かとも意見を合致させることができます。だからこそ、考え方のちがう相手とも、幸せについて話をすることができます。逆に、本当に考え方も答えも「ひとそれぞれ」ならば、私たちが幸せと言っても相手は怪訝な顔をするでしょうし、そもそも相手との会話そのものがまったく噛み合わないでしょう。考え方や答えに普遍的なものがあるからこそ、たがいにこうやって幸せについて話ができるのです。

参考図書

プラトン『プロタゴラス　ソフィストたち』藤沢令夫訳、岩波文庫
プラトン『テアイテトス』田中美知太郎訳、岩波文庫

第三章　なぜ「知っている」と言えるのか

空を見上げて

晴れた日、空を見上げてみましょう。見えている空は、何色をしているでしょうか。きっと私たちは、こう答えるでしょう。「晴れた日の空の色は青い」と。このことに疑問を持つひとはいるでしょうか。おそらくいないでしょう。誰もが「晴れた日の空の色は青い」と言うはずです。

けれども実は、晴れた日の空の色は青ではありません。青いと言われる昼の晴れた日の空は、太陽から降り注ぐ光でいっぱいです。私たちが光を描くとき、何色で描くでしょうか。たいていは黄色ではないでしょうか。ということは、実際のところ、空は太陽光の色をしているのであって、それは黄色なのです。そんなはずはない、と思うひともいるでしょう。しかし空には太陽があるのだから、空の色は黄色であり、誰がなんと言おうと、とにかく黄色なのです。そしてできるだけ多くのひとに、晴れた日の空の色は黄色だと知ってもらいましょう。こうして、「晴れた日の空は何色ですか」と問われたら、今度は誰もが「晴れた日の空の色は黄色だ」と答えることにしましょう……。

いま、「晴れた日の空の色が黄色だ」と言いましたが、まさか、実際にそんなはずはありません。

さっきから空が青いだの黄色だのと、最初からばかばかしいと思っていたひともいるのではないでしょうか。夕方に赤や黄色のように見えることがあっても、晴れた日の空の色を問われて黄色と答えることはありません。やはり晴れた日の空の色は、本当のところ、黄色ではなく青いと言うはずです。

共有すれば「知っている」なのか

私たちは、誰もが共有できる考え方、つまり普遍的な考え方を持っています。そして私たちはまた、誰にとっても共通の答え、つまり普遍的な答えを導き出すことができます。誰もが答えだと思うことができるこの普遍的な答えこそが、本当の意味での答えです。

では、誰もが考え方を共有し、共通の答えを持ちさえすれば、「知っている」と本当に言えるのでしょうか。先ほどの空の事例にもあるように、誰もが共通して「晴れた日の空の色は黄色である」という答えを持っていれば、空の色が本当に黄色であって、それで空の色を本当に知っていることになるのでしょうか。そのようなことはありません。普遍的な考え方から普遍的な答えが導き出せたとしても、それが「晴れた日の空の色は黄色である」という答えであれば、これがおかしいというのはわかるでしょう。ということは、普遍的だとしても、それが本当の答えとなり、本当に知っているとは言い切れないのです。

本当の答えだと言えない事例は、ほかにもあります。誰もが考え方を共有し、共通の答えを持つだけだと、たとえば「隣の家のひとは実は政財界の大物だと近所で話題になっている」とか「あの有名人にはあたらしい交際相手がいるらしい」とか「自分の銀行口座に突然大金が振り込まれていたらなあ」などのように、噂や憶測や妄想も共有できてしまいます。考え方が普遍的である、というだけでは、導き出される答えが普遍的だとしても、それが本当の答えなのか、本当に知っているのか、断言できません。噂や憶測や妄想かもしれないのです。

それでは、私たちが本当に知っていると言えるには、さらに何が必要なのでしょうか。

根拠があること、確実であること

私たちは「晴れた日の空の色は黄色である」を、おかしいと感じます。そして空の色は青いと思うはずです。多くのひとがこの「空の色は青い」という意見を共有し、その意見が普遍的だとしても、それを私たちは妄想だとは思わないでしょう。もし、空の色は青いと思っていたのに、ほかの誰かから「そんなの妄想だよ」と言われたら、どうするでしょうか。

妄想ではない、本当に青いのだと言い返すには、本当だと言えるわけ、つまり説得力のある**根拠**が必要です。根拠があれば、「なぜ空の色は黄色ではなく青いのか」と聞かれても、「〇〇だからだ」と答えることができます。そうすれば、空の色は青いのだと相手も納得でき、私たちの言うことが妄想でないと証明されます。そして私たちも相手も、晴れた日の空の色について、本当に知っていると言えるのです。

けれどもどうして、根拠があれば本当だと言えるのでしょうか。その根拠もまた、私たちの妄想かもしれないのです。妄想でなく本当であるためには、それが確実だと言えなければならないでしょう。確実とは、それだとおかしくないこと、これ以上疑問を持つことがないことです。逆に、疑問の余地があれば、確実とは言えません。たとえば「それがイスなのは確実だ」と言うときに、イスでないのでは、と疑問を持つことはありません。イスならば、そもそも疑問を抱くこともないでしょう。

ふだんの生活のなかで疑問を生じないときは、それが確実だと思っているからなのです。ですから私たちは、イスに腰掛けることができます。確実だからこそ、私たちは不安を抱くことなく、安心して生きていけるのです。確実だと思えるからこそ、晴れた日の空の色は青いことにもその根拠にも、誰もが納得するのです。

「確実」なことは確実だろうか

しかしながら、どれだけ普遍的だとしても、どれだけ根拠を示したとしても、いくらでも本当なのかと疑問を持つことはできます。そうなると、確実だとは言い切れなくなってきます。それだけでなく、そもそも怪しげでおかしな事柄が、世のなかにはたくさんあります。たとえば夢を見たり、錯覚をしたり、それらは明らかに本当のことだとは言えず、不確実なことです。いまこうしている間も、現実なのか夢なのか、確実だとは言えません。

どれだけ「確実だ」と言われているものも、本当にそうなのかと疑問を持てば、何もかも怪しげに思えてきます。もちろん、なんでも「確実だ」と鵜呑みにすることなく、本当なのか、嘘ではないかと疑問を持ち、本当は知らないのではないかと問い続けることは大切です。しかしこれによって今度は、何もかも確実だと思えなくなってしまいます。

もし「確実だ」と言えることが何もなく、すべてが不確実ならば、絶対に確実なことなどなくなってしまうでしょう。ふだん私たちが「知っている」と思っていることは、本当はまったく知らないのであって、世のなかの全員が「知っている」と認められることであったとしても、それもまた本当はまったく知らないのかもしれません。そしてこれから先も、私たちは何も知ることができないかもしれないのです。

それでは今度は、私たちは本当に何も知ることができないのだと、断言できるでしょうか。このことさえも、絶対に確実だと言えないのではないでしょうか。私たちは何もわからないということもまた、わからないのではないでしょうか。「何も知らない」こともまた不確実なのです。

こうして私たちは、「知っている」と言うこともできないし、「知らない」と言うこともできません。つまり、知っているかどうかも怪しいし、知らないのかどうかも怪しいのです。しかしこのままでは、私たちはもう何も言えなくなってしまいます。

では実際のところ私たちは、知っていることが確実なのか不確実なのか、どうやってわかるのでしょうか。

あえてすべて疑ってみよう

知っているのか知らないのか、あるいは知っていることが確実なのか不確実なのか、何もかもが怪しげでわからないのならば、今度は、どこまでも怪しいと疑問を持ち、疑えるだけ疑ってみたらどうなるでしょうか。

ここで「疑う」と言いましたが、疑うと聞くと、疑念や猜疑心のように、ネガティヴなイメージを持つかもしれません。しかしこの疑うことをもっと吟味すると、その意味がわかってきます。私たちが疑うとき、元々当然だとされていたことが、実はちがうのでは、と思っています。そう思えるのは、当然と思っているときの観点と、ちがうと思うときの観点が異なるからです。つまり自分自身の観点が変わることで、あるいは別の観点を持つことで、私たちは疑うことができるのです。これは物事の見る角度を変えるというよりも、私たち自身の観点そのものを変え、複数の観点を持つことです。したがって、**疑う**とは、私たちの観点を変えて、あるいは私たちの複数の観点から、疑問を持つことを意味します。

さて、すべてのことは本当に不確実なのでしょうか。あるいは逆に、何か「確実だ」と言えるようなことが出てくるのでしょうか。たとえば、いま読んでいる本書は幻かもしれませんし、こうやって読んでいること自体も夢かもしれません。また、自分の身体に触れているものも現実でなく、すべて錯覚であり、ヴァーチャル・リアリティ（仮想現実）でそう思わされているだけかもしれません。逆に、ずいぶんリアルな夢だと思っていたら、実は現実なのかもしれません。こうなると、すべてのことは現実ではないかもしれませんし、夢でないかもしれません。すべては本当かもしれませんし、すべて嘘かもしれません。そのどちらか一方だとしても、それが本当なのかわかりません。何もかもが怪しいと言えてしまうように思えます。

このように観点を変えながら疑問に思い、怪しげで不確実ではないかと思い続けると、どうなるでしょうか。何もかもが怪しげで不確実で、何が本当なのかわからないのなら、何ひとつとして「確実だ」と言えるようなことはなくなるはずです。

ところが実は、怪しげで不確実だと、どうしても言い切れないことがあるのです。それは、この疑問に思い、疑っていることそのものです。つまりこの疑うことそのものは不確実だと言い切ることができません。**疑うことそのものは疑いえない**のです。

たとえば、いま本書を読んでいることが現実ではなく夢のなかの出来事だとすれば、手にしているはずの本も、本を読んでいることも、本当のことではなく、嘘だということになるでしょう。つまり嘘のことであって不確実ではないかと疑うことができます。けれども、この「嘘のことであって不確実ではないかと疑っている」という場面が、実は夢のなかの出来事かもしれません。そうだとすれば、この「嘘のことであって不確実ではないかと疑っている」場面は、嘘のことであって不確実ではないかと疑うことができます。ところが、「この『嘘のことであって不確実ではないかと疑っている』場面は、嘘のことであって不確実ではないかと疑っている」という場面もまた、夢のなかの出来事かもしれず、そうだとすれば、その「この『嘘のことであって不確実ではないかと疑っている』場面は、嘘のことであって不確実ではないかと疑っている」場面は、嘘のことであって不確実ではないかと疑うことができます。けれどもさらに、「『この「嘘のことであって不確実ではないかと疑っている」』場面は、嘘のことであって不確実ではないかと疑っている」という場面もまた、夢のなかの出来事かもしれず、そうだとすれば、その「『この「嘘のことであって不確実ではないかと疑っている」』場面は、嘘のことであって不確実ではないかと疑っている』場面は、嘘のことであって不確実ではないかと疑っている」場面は、嘘のことであって不確実ではないかと疑うことができます。ところがさらに……。

途中から頭が痛くなりそうです。その後も、嘘ではないか、不確実ではないかと疑うと、延々と疑い続けることができます。こうして、いくらその疑うことを疑っても、その疑うという場面そのものがないと、私たちはそもそも疑うことができません。つまりまず疑うということがなければ、確実か不確実かも決めることができないのです。

本当に知っていると言える条件②

どれだけ不確実なことがあるとしても、そのように「不確実ではないか」と疑問に思って、疑うことそのものも疑って嘘だと言い切ることはできません。ですから疑うことは、不確実だと言えない限りで、まず確実だと言うことができるのではないでしょうか。

私たちが本当に知っていると言えるのは、そう言える確実なわけ、確実な根拠があるからです。そして疑うことが、その確実な根拠となるのです。空の色が青いと思うのは、私たちが本当に青いのだろうかとさまざまな観点から問い続けて、やはり青いと結論づけられたからこそ、本当に青いのだと思えるのです。本当だと言える確実な根拠は、疑うことにあるのです。そして私たちは疑うことにもとづいて、実際に問い続け、答えを導き出しているのです。

私たちは疑うことで、それを根拠にして、本当に知っていると言うことができます。したがって、**根拠の確実性**は、本当に知っていると言えるための、**第二の条件**なのです。

ふだんから何気なく「知っている」と思っていることには、実は根拠があります。根拠があるからこそ、実際に知っていると呼べるのです。しかし私たちは、その根拠のことを気にかけないまま、「知っている」と言ってしまっているのです。

晴れた日の空を当然のように青いと思っているのは、もしかしたらたんなる思い込みかもしれません。しかし、私たちが空の色を黄色だと言われて「おかしい」と感じるのは、思い込みによるものとは限りません。黄色だという答えに疑問を持ち、それを疑うから、私たちは「おかしい」と感じるのです。そのとき私たちは、疑うはたらきを信頼し、それにもとづいているからこそ、実際に疑問を持つのです。

私たちはどんなことでも、ふだんからあたりまえのこと、ふつうのこと、常識だと思っていれば、とくに疑問を持つことはありません。そしてこの疑問を持つことのない私たちの考え方そのものにも、疑問を持つことはありません。しかし私たちは、そのようなことを鵜呑みにせず、疑うことで、それがかならずしも正解だとは限らないことがわかるのです。私たちは疑うことで、本当の答えを導き出すことができ、本当に知っていると言うことができるのです。

参考図書

アリストテレス『形而上学』出隆訳、岩波文庫
デカルト『方法序説』谷川多佳子訳、岩波文庫
デカルト『哲学原理』桂寿一訳、岩波文庫
デカルト『省察』山田弘明訳、ちくま学芸文庫

第Ⅱ部　もっと疑う、もっと知る

第四章　心に思ったことは「知っている」ことなのか

さて本章からは、より本当に知っていると言えるために、さらに疑い、問い続けることにしましょう。

アナタハ神ヲ信ジマスカ

世のなかには、「神さまはいる」と思っているひともいますし、「神さまなんていない」と思っているひともいます。神さまがいるのかいないのか、争いになることもあります。こうした争いは、ずっと昔から頻繁にありましたが、いまだに決着がついていません。どこかに歩み寄れそうなところがありそうなものですが、たがいの思いが平行線をたどってしまいます。こういうとき、たとえ結論が出ないとしても、あるいはどちらか結論が出たとしても、それによって自分自身の思いが変わったり揺らいだりすることはないでしょう。神さまはいるはずだ、あるいはいないに決まっていると、そのまま自分自身の思いを貫くでしょう。

このように私たちは、当然のように神について話すことができますが、そもそも私たちは神について きちんと「知っている」のでしょうか。このように問われれば、ふだんはもちろん「知っている」

と答えるでしょう。神がどういうものか、存在すると思っているひとも、存在しないと思っているひとも、それなりに想像がつきますし、説明することもできるでしょう。「知っている」からこそ、誰かと話ができますし、相手と争うこともできるのです。

けれども私たちはそもそも、「神を知っている」とはあまり言いません。神について「知っている」という言い方は、あまりなじみがないのではないでしょうか。むしろ私たちは、「神を信じている」という言い方をすることのほうが多いでしょう。この、神について「信じている」という言い方は、神について「知っている」とはちがうのでしょうか。それとも同じなのでしょうか。もちろんそのようなことなど、あまり気にしないでしょうし、どうでもいいかもしれません。とくに区別することなく、「知っている」と「信じている」を使ってしまっているでしょう。実際のところ、この「知っている」と「信じている」のどちらも、私たちの心のなかで思い描いていることに変わりがありません。心に思ったことを、私たちは「知っている」と言ったり、「信じている」と言ったりしているのです。

相手と意見が合わない

私たちはふだん、心のなかでさまざまなことを思い描いています。周りから影響を受けることもありますが、私たちはなんら妨げられることもなく、基本的に好きなように思うことができます。私たちは好きなように問い、理解し、「知っている」と言っています。そして「知っている」と言えるのには、きちんとわけがあると思っているでしょう。

では、そのように私たちが思っていることにたいして、ほかの誰かが「ちがう」と異議を唱えてきたら、どうするでしょうか。相手の意見を受け入れるでしょうか。それとも、自分の意見を曲げないでしょうか。もちろん、ひとによって、状況によって、どちらになるかは変わりうるでしょうが、自分の意見のほうが正解なのだ、自分のほうが「知っている」のだ、と本気で思っているならば、相手の意見を受け入れるよりも、自分の意見のほうを主張し続けたり、その意見で相手を説得したりするのではないでしょうか。相手が説得され、納得して受け入れてくれれば問題は解決です。しかし相手が納得してくれなかったとき、おたがいの意見は合致せず、問題は解決しません。自分とは反対の意見のひとが少なくて、自分の意見に賛同してくれるひとが多かったら、相手よりも自分の意見のほうが正解だと感じることもあるでしょうが、逆に自分に反対の意見のほうが多かったらどうでしょうか。反対意見が多くても自分の意見のほうが正解だ、本当に「知っている」のだと思うのなら、やはり自分の意見のほうを主張し続けるかもしれません。けれども、そのように言い張れば、自分自身には通用しても、周りにとっては説得力のない一個人の意見に留まるでしょう。これでは相手と意見が合いませんし、自分自身の意見が正解だと言い切れないかもしれません。

自分自身だけが正解だと思うような意見は、本当の意味で知っているとは言えないでしょう。そのような意見であれば、周りからは「身勝手な決めつけだ」とか「たんなる思い込みだ」とか言われるからです。このような、たんに決めつけて、思い込んでいるような意見ならば、そのようなものは、「自分自身が正解だと信じている意見にすぎない」と言われるのです。

私たちは信じている

ふだん私たちが「信じている」と言うのは、宗教の場合に多いでしょう。神仏や特定の宗教にたいして使うのが、「信じている」だと思っているひともいるでしょう。しかし私たちが実際に信じているのは、何もこうしたものばかりではありません。

信じていることとは、ある事柄について個人的にそうだと思っていることを指します。ふと思うことやなんとなく思うことも、じっくりと思ったことも、心のなかで思うことは全部、信じていることです。それはあくまで自分自身がそうだと思っているだけですから、ほかの誰かとかならずしも共有されているものではありませんし、どうしてそう思うのかと問われても、かならずそう思う根拠があるわけでもありません。ほかの誰かが何を言おうが関係なく自分のなかで思うようなことが、信じていることです。

信じていることには、たとえば「明日晴れたらいいのに」のような、私たちが抱く希望や願望もあります。実際に晴れるかどうかは明日にならなければわかりませんし、誰もが晴れてほしいと思っているわけではありません。それでも、好きなようにそう望んだり、願ったりすることはできます。またたとえば、「あのひとはきっと部屋を片づけてくれるだろう」のような期待もあります。期待してうまくゆく場合もあれば、そうならない場合もあり、どうなるかは不確実です。ほかにもたとえば、「隣の家のひとは何かよからぬことを企んでいるのだと近所で話題になっている」とか「あの有名人は交際相手と別れたらしい」などのような噂や憶測もあります。これらは、はっきりしたことはわかないけれど、どうもそのようだ、という程度の話です。もちろん、絶対そうにちがいない、と思うひともいるかもしれませんが、ではどうしてそう言い切れるのかと問われたときに、本当だという証拠があるわけでもなく、なぜそう言えるのかという明らかな根拠もないようなものです。

以上のような希望や期待や憶測などは、自分自身がそう思っているものであったり、誰もが納得する仕方で証明しようのないようなものであったりします。こうしたものが、信じていることには数え入れられます。

さらにまた、個人的にそうだと思っていることだというのならば、私たちが「知っている」と思っていることも、それにあてはまります。ですから、信じていることには、ほかの誰かと共有できていたり、確実な根拠があったりすることも含まれます。それを本当に知っているかどうかはともかくとして、心のなかで思い描いているどんなものも全部、信じていることだと言えるのです。

独断というワナ

私たちがふだん、心のなかで思い描いているのがすべて信じていることならば、たとえば自分自身だけが思っていることも、誰もが共通して思っていることも、どちらも信じていることなので、区別がつきません。私たちが知っていることも、信じていることのひとつとして数え入れられます。その一方で、信じていることは知っていることと同じとは限りません。噂が本当に知っていることだとはかならずしも言えないことからもわかるでしょう。ですから、たとえばデマを本当のことだと思ってパニックになるのは、区別がつかなくなっていることを示していると言えます。私たちは、なんとなく思い描いていることや、わかっていると思い込んでいることを、「知っている」と言ってしまうかもしれないのです。それが本当のことかどうか、本当に知っていると言えるかどうか、とくに確認せず、信じていることと知っていることを混同したまま、「知っている」と言ってしまうことがありうるのです。

このような混同が私たちのなかで生まれてしまうのは、仕方のないことかもしれません。ふと何か思ったときに、それが知っていることなのか、信じていることなのか、いちいち確認はしないでしょう。しかしながら、ここには、**独断というワナ**が待ち受けています。

私たちは、信じていることと知っていることを混同したまま、自分の信じていることがほかの誰かにも通用すると思ってしまうことがあります。たとえば自分の好きな食べものを、友人も同じように好きとは限りません。それなのに、絶対おいしいからと友人に勧めてしまうことはないでしょうか。あるいはたとえば、友人たちが自分の意見に反対しないので、全員が自分と同じ意見で、全員が自分の意見に賛成しているかのように思ってしまうことはないでしょうか。こうして友人たちのそれぞれの意見に耳を傾けずに、自分自身の意見を根拠もなく主張したり、友人たちが自分と同じ意見のはずだと思い込んだりすれば、自分自身の意見は独りよがりな決めつけになってしまいます。そして自分がたんに信じているにすぎないことを、本当に知っていること、本当の答えだと勘ちがいしてしまいかねないのです。したがって、信じていることと知っていることの混同は、独断に陥る危険性を含んでいるのです。これこそが、独断というワナなのです。

本当に知っていると言える条件③

独断というワナに陥らないようにするには、信じていることから知っていることを区別しておかなければなりません。しかしながら、信じていることも知っていることも、心のなかで思い描いているものである点で変わりありませんので、どうしても混同してしまいます。ですから、独断でないことを自覚して、知っていることを決めつけや思い込みから区別しようとしても、それはかんたんなことではありません。いくら本当に知っていることだと思っても、そう信じているだけかもしれないのです。結局このままでは、知っていることを信じていることから区別するなどできないのではないでしょうか。

実は、私たちが本当の意味で知っていることは、信じていることとは決定的に異なる点があります。それは、誰もが本当に知っていることだと言えるかどうか、つまり、普遍的な考え方から導き出される普遍的な答えであるかどうか、そして確実な根拠があるかどうか、チェックできる点です。しかも、本当に知っていると言えないようであれば、誤りだと否定できます。知っていることとは、こうした**検証**や**反証**がつねにできるものなのです。逆に、そのような検証を許さなかったり、反証によって否定されるのを認めなかったりするものは、本当の意味で知っていることだとは呼べないのです。

学校で教わる知識は、知っていることのひとつです。それもまた、検証と反証によって変わることがあります。理科の授業では、さまざまな科学的知識について学び、法則や公式などを覚えたひともいるでしょう。科学をつうじて明らかになったことは、誰もが共有している普遍的なもので、何があっても永遠に変わらない「真実」であるかのように思っているかもしれません。しかし実際にはそうではありません。これらの知識は、教わった世代によって内容のちがうことがあります。たとえば宇宙の年齢や、病気やケガの治し方や、歴史上の出来事など、さまざまなことが昔といまでは変わっています。そしてこれからも変わるでしょう。どうしてこのようなことが起きるのでしょうか。それはかつてあった知識が検証され、その結果、より本当だと言えることが解明され、その根拠が示されたからです。ですから、たとえば宇宙の年齢も、つねに検証や再計算がなされ、より正確な結果が導き出され、それが本当だと言えるあらたな根拠が示されることで、元々正確な知識とされていたものが否定され、より正確なものへと修正や変更がなされているのです。こうして、私たちが元々知っていたことは、あらたに本当だとわかったことによって退けられ、それがより本当に知っていることになるのです。

私たちが知っていることや学校で学ぶ知識は、検証や反証によって変わってしまうならば、何かあてにならないもののように感じるかもしれません。しかしながら、最初から絶対に揺らぐことも変わることもないような「真実」や「真相」なるものはありません。それは頑として意見を曲げない決めつけとして、信じているにすぎません。むしろ私たちが「知っている」と言えるのは、検証や反証をつうじて、より本当に知ってゆくものなのです。したがって、知っていることを検証し、場合によっては否定できること、つまり**知識の反証可能性**は、本当に知っていると言えるための**第三の条件**なのです。

私たちは、より本当に知っていると言えるために、知っていることを信じていることから区別しました。この区別をせずに混同してしまえば、信じていることを「知っている」のだと決めつけ、根拠もなく信じていることを、当然のことと思って疑問も持たず、確実なはずだと強引に主張したり、明らかな誤りがあってもそれを認めなかったりしてしまうでしょう。そうならないように、心のなかで思い描いているものを自らチェックしておかなければならないでしょう。

それでも私たちは信じている

信じていることは知っていることとは異なり、心に思うことを全部含んでいますから、独断に陥りかねません。しかし、知っていることからこのように区別されると、信じていることは、何かダメなもの、知っていることよりも格下のもののように感じてしまうかもしれません。

そもそも信じていることは、私たちが生きてゆくのに不可欠です。私たちは、信じずに生きることができません。たとえば、私たちはどうやって道を歩くでしょうか。私たちは歩くのに、足を振り上げ、その足を前に出して下ろすことで、地面へと踏み出します。次に、残されたもう一方の足を同様に振り上げ、先ほど踏み出した足よりも前に出して、地面へと踏み出します。歩くとは、この一連の動作をくり返して、足を交互に地面へと踏み出すことです。これはあまりにも当然のことです。説明するまでもないでしょう。しかしこのように足を踏み出したとき、その先の地面がまちがいなく地面だと思っています。目の前に地面があるのに、地面でないとは思いません。本当に地面なのかどうか、チェックしてもいません。もしかしたら、足をついたとたんに、穴が開いて転落するかもしれません。けれども私たちは、転落するなどと思いもしません。私たちは足を地面へと踏み出すことに、なんのためらいもありませんし、とくに根拠があるわけでもなく、なんの確認も検証もせず、まったく疑問に感じずに、そこが地面だと思って踏み出すのです。地面でないかもしれないと、いちいち疑問を持つことはありません。そこで疑問を持ったり検証しはじめたりすれば、私たちはまったく歩けなくなるでしょう。

このように道を歩くことだけでなく、目の前に出された食事が体に悪いのではないか、空気が無味無臭の毒ではないかなど、ひとつひとつのことに疑問を持って、それぞれチェックしていては、食事もできなければ、息を吸うことすらできなくなってしまうでしょう。

たしかに信じていることには、独断というワナに陥りかねない面があります。その限りで信じていることは、誰もが本当だと思えるものだと言えないでしょう。しかしながら、私たちが生きてゆくなかでは、歩いたり息を吸ったりするように、疑問を持たずに根拠もなく当然そうだと思うしかない場面がどうしても出てきます。そのときに、そのつど本当かどうか、検証や反証をしていては、生きていること自体ができなくなります。そういうときには、何はともあれ無条件に信じていることが必要になるのではないでしょうか。

参考図書

プラトン『テアイテトス』田中美知太郎訳、岩波文庫
トマス・アクィナス『神学大全』山田晶訳、川添信介補訳・解説、中央公論新社
ポパー『科学的発見の論理』大内義一・森博訳、恒星社厚生閣

第五章　私たちはどこまでも知ることができるのか

夜空の向こう

　晴れた日の夜、空を見上げてみましょう。見えている空には、星が輝いています。星々は、実際には、地球からずっと遠くにあります。また星々の輝きは一様ではなく、それぞれ明るさも色も異なります。こうした輝きのちがいは、星の温度や地球からの距離など、さまざまな要因で決まっています。これによって、私たちの見上げた夜空に輝く星々は、豊かな表情を見せているのです。

　私たちは、夜空に輝く星について知っています。実際の星の位置や、誕生してからの年数や、その星を形作っている成分についてもわかります。近くの星はもちろんのこと、宇宙の果てにあるような遠くの星についても、調べればすぐにわかります。

　しかしながら、こうしてかんたんに調べることのできる星々に、私たちは誰ひとりとして、実際に近くにまで行って見てきたことはありません。夜空を見上げてよく見える星は、すぐそこにあるのではなく、ずっとずっと遠くにあります。間近で実物を見ているわけでもないのに、私たちはその星々のことを知っているのです。しかも私たちは、こうした近くで見聞きしたことも直接に経験したこともないものについて、ほかの誰かに伝えたり、話し合ったりすることができるのです。

遠くのものを知っている

私たちはふだん、知っていると思っていることにたいして、ほかの誰かから疑問を呈され、本当に知っているのかと問われたことはないでしょうか。このとき、本当に知っているのだと伝えようと思ったら、どうするでしょうか。

たとえば近所のスーパーでバーゲンセールがあると知っているとします。それにたいしてほかの誰かが、「本当なのか」「嘘ではないのか」と言ってきたらどうするでしょうか。いや嘘ではなくて本当なのだと証明しようとすれば、実際に行ってバーゲンセールの告知を見たのだからまちがいない、という答え方もあるでしょう。私たちは、実際にそのスーパーに何度も行ったことがあるので、近所のスーパーがどこにあって、何を売っているか知っています。直接見聞きすることができ、誰が何度行っても変わりないのなら、本当に知っていると言えます。このように、本当だと言おうと思えば、実際に見聞きし直接経験したからだと、わけを説明して納得してもらうでしょう。

では、これまでに見たことも行ったこともない土地の店のことだったら、本当に知っていると言えるでしょうか。実際の店内の様子もわかりませんし、何を売っているのかもはっきりしません。そのような店について知っているのかと言われたら、本当に知っていると断言する自信はないでしょう。やはり私たちは、実際に見聞きしたり、直接経験できたりするからこそ、本当に知っているのだとほかの誰かに伝えることができるのです。

しかしながら私たちは、実際に見聞きしたこともなければ、直接に経験したこともないような物事についても、「知っている」と言うことはあります。たとえば、いままで行ったことのない遠い外国がどんなところで、どんな歴史があって、どんな特産物があって、どんなひとが暮らしているのか、私たちは「知っている」と言います。また宇宙の果てにある星の正確な位置や成分のような具体的なことについても、私たちは「知っている」と言います。これらについて本当なのか、嘘ではないのか、と誰かが疑問を呈してきたら、今度は実際に見聞きしたのだ、直接経験したのだとは答えられません。こういうときに私たちは、これまで教えられてきた知識を引き合いに出して、本当なのだ、嘘ではないのだと答えるのではないでしょうか。その知識は、本で読んだり、学校で教わってきたりしたものです。ですから、それは多くのひとと共有されているはずですし、きちんとした裏づけもあるでしょう。こうして私たちは、実際に見聞きしたり直接経験したりできなくても、「本当に知っているのだ」と言うのではないでしょうか。

ことばと論理を使って知っている

ところで、私たちは何かについて「知っている」と言うとき、あるいは自分の知っていることを相手に伝えて理解してもらったり、考え方や答えを共有したりするとき、それを**ことば**で表します。私たちはことばを使って、本や学校などで得たさまざまな知識を共有し、「知っている」と言います。

このことばの役割を果たすものには、文字や絵や記号や数式などもありますし、身振り手振りなどもあるでしょう。これらはすべて、知っていることを理解し、それを相手に伝え、共有するのに役に立ちます。ことばがあるからこそ、私たちは本当に知っているのだと言えるでしょう。

何かについてことばで表すのに、「イス」とか「空」とかのように、ただ単語を列挙すればよいのではありません。自分自身が「知っている」と言えるだけでなく、ほかの誰かにも伝わるようにするには、ことばを組み立てる必要があります。「イスが目の前にある」や「晴れた日の空の色は青い」のように組み立てます。こうして組み立てられたものは、**論理**と呼ばれます。

論理は、誰にでも通用するような筋道でできています。「イスが目の前にある」と言われて、公園が広いと思わないでしょう。誰もが、そこにイスがあると理解します。またこの論理の筋道には、**法則性**があります。「目にあるがイス前の」では意味不明です。法則的にことばを連ねることで、誰もが理解できる論理になります。またその法則性に従って、さらにことばを連ねることができます。イスがあるわけを述べながら、「イスが目の前にあるのは、昨日あたらしい家具を一式買いそろえたからだ」と組み立てることもできます。こうしてできた論理の筋道は、いつも同じ意味を保っていて、意味が勝手に変わってしまうようなことはありません。これによって誰もが同じように理解できますから、論理は**首尾一貫した整合性**を持っていると言えます。私たちは論理によって、さまざまな物事や事柄について「知っている」と言うことができ、説得力を持って共有し、確実だと理解することができるのです。

いまここになくても知っている

さらに、私たちは論理によって、目の前にあるものだけでなく、いま目の前にないものについても、同じように「知っている」と言うことができます。

たとえば、さっきまでいた隣の部屋について、いま自分の部屋にいて隣の部屋が見えていなくても矛盾なく説明できます。また遠い外国についても、これまで教わってきた知識をことばにして説明すれば、いま自分自身がいる場所と同じように誰かに伝えることができます。

これだけではありません。私たちは、論理によって先々のことを予測することができます。明日の天気だけでなく、その場で空を見上げて、雲の状態や動きを計算し、雨が降りそうだと思って、傘を持って外出することができます。こうして、まだ訪れていない未来のことや、すでにない過去のことも、論理の筋道をつなげて説明し、理解することができるのです。

ちなみに、探偵がおこなう推理は、目の前に証拠がなくても、関連する人物や出来事の断片を手がかりとして、最終的に犯人にまでたどり着きますが、これも論理の筋道を連ねてできています。

私たちは論理さえあれば、たんに目の前にないものだけでなく、宇宙の果てのような遠くのことも、また昨日のことや明日のことだけでなく、宇宙が誕生したときや地球が滅亡した後のことのような、遠い過去や未来のことも、誰もが納得できるように説明できます。しかも私たちは、論理をどこまでも無限に連ねることができます。このように私たちは、論理があれば、どんなものについても「知っている」と言うことができるのです。

実在しないものも「知っている」だろうか

私たちはふだん、目の前にあるものにたいしてことばを組み立てるでしょう。しかし先ほど述べたように、私たちは、目の前に何もなくても、同じようにことばを組み立てることができますし、論理によって無限にどこまでも説明し、それらを「知っている」と言うことができます。私たちはことばの組み立てを、目の前に何もなくてもできるのなら、読書をしながらでも、食事をしながらでも、歩きながらでも、ぼんやり横になっていてもできるでしょう。私たち自身さえいれば、論理で説明し、「知っている」と言えるのです。

それならばたとえば、空想や想像のなかで、目の前にイスがある**つもりになって**ことばを組み立てれば、イスが目の前にある場合と同じように論理を作られるのではないでしょうか。そのとき私たちは、目の前に何かが実際にあろうとなかろうと無関係に、論理によって「知っている」と言うことができます。

もちろん、このように空想や想像で思い描いたイスが目の前にないとしても、実際にはどこか別の遠いところにあったり、昔そこに存在していたイスであったりすれば、目の前にあるものと同じように説明できても問題ないかもしれません。しかしながら私たちは、目の前にないばかりでなく、どこか遠くにもなければ、別の時間にもないものも、つまり**そもそも実在しないもの**も空想したり想像したりできてしまいます。そのような場合にはどうなるのでしょうか。

たとえば、空想や想像で思い描き、実在していない（ということにしておきますが）「妖精」や「天使」ということばにすることもできますし、そのことばを組み立てて、「妖精が目の前にいる」という論理で説明できます。このときの論理は、見たところ、実在しているイスを説明する論理と変わらないでしょう。たしかに私たちは、実際に存在しているものと同じように、妖精や天使についてことばで話せますし、ほかの誰かと共有することもできますし、妖精や天使が目の前にいると相手を説得することもできるのです。それでは、こうやって説得されて、反論しようもなかったら、妖精や天使が本当に目の前にいることになるのでしょうか。空想や想像で思い描いたものを論理にしたもので、私たちは本当に知っていると言えるのでしょうか。それは私たちの決めつけや思い込みとちがうのでしょうか。

空想だろうが想像だろうが、論理で説明さえすれば整合性も取れているし本当なのだ、本当に知っていると言えるのだ、という見方もあるかもしれません。しかし論理さえあれば本当だと言えるのなら、たとえば目の前にはイスらしき物体があるけれども、空想や想像でそれは妖精だと思い、「その物体は妖精だ」とか「その物体を妖精だと知っている」とか「妖精が目の前に実在する」とか言うこともできてしまいます。目の前に何があろうと、整合性の取れている論理があるだけで、本当に知っていることになるのではないでしょうか。もちろん、イスが妖精であるわけがないと思うでしょうが、論理によって本当に知っていると言えるのなら、論理だけで好き勝手に「本当に知っている」ことにできてしまいます。

空想や想像だけでできた、実在しないものについての論理は、実際に目の前にあるものとは無関係に、ただことばを組み立てただけのものです。たんにことばを法則的に組み立てた論理だけならば、説明されている当のもの、説明されている内容がまったくともなっていません。目の前にイスがあって、「イス」と呼んでいるのならば、「イス」ということばと、それが指し示しているものの両方があります。しかし、「妖精」や「天使」の場合には、ことばだけあって目の前に実際に妖精や天使がいるわけではありません。ことばだけです。こうしたことばからなる論理は、どれだけ説得力や整合性があっても、ことばをただ組み立てただけの、中身のない**空虚なもの**です。私たちは論理だけで、実際に見聞きしたことのないものも直接経験したことのないものも、さらには実在していないものまでも、「知っている」と言えてしまいます。しかしその「知っている」ことは、空虚で形式的にすぎません。これを私たちは、本当に知っていると言えるのでしょうか。

本当に知っていると言える条件④

私たちが「知っている」と言えるには、首尾一貫した整合性のある論理だけでなく、その論理によって説明された中身にあたる**「何か」**が必要です。その「何か」は、私たちの空想や想像のなかにはないようなものです。**知っているとは**、こうした「何か」について知っていることを意味するのです。私たちが本当の意味で知っていると言えるためには、私たちの空想や想像のなかでないところで、「何か」に出会わなければなりません。私たちは「何か」に出会うことによってはじめて、それについて知りたいという気持ちになるのです。

しかしながら、組み立てられたことばを見ただけでは、それが実際に「何か」に出会ってから説明した論理なのか、あるいは中身のない空虚な論理にすぎないのか、区別がつきません。私たちのなかでは、目の前に実際にあっても、空想や想像で思い描いても、どちらも同じように「イス」ということばで表現できます。このどちらも、自分自身のなかで思い描かれたものである点で同じです。出会って私たちのなかで思い描いたイスも、想像して思い描いたイスも、どちらも私たちのなかでは「イス」です。こうして私たちのなかで思い描かれたものはなんであれ、**主観的**だと呼ぶことができます。

たとえば、私たちの目の前にイスがあると思っているとき、そのイスは私たちの空想や想像かもしれませんし、現実に存在している実物かもしれません。あるいは決めつけや思い込みで見ているのかもしれません。いずれにしても、そのイスは最初に私たちのなかで「イス」として思い描いているものですので、主観的なものです。このように主観的なままでは、空想や想像で見ているのか、実物を見ているのか、区別がつきません。これでは、本当に知っているのかどうか、わかりません。しかしたとえば、目の前にあるものをよくよく見ると、イスだと思っていたのは、イスが描かれたパネルだった、ということがあります。これは目の前のものをありのままに、忠実にとらえることで、私たちのなかで思い描かれているのとは異なる、私たちのなかにない「何か」の本当の姿が現れてきたということなのです。その現れた「何か」こそ、ここではパネルなのです。

このように、「何か」が私たちに現れてきて、その現れたとおりに忠実にとらえたものは、**客観的**

だと呼ぶことができます。私たちがふだん「客観的に見ましょう」と言われるのは、私たちの思い描くものにとらわれず、ありのままの「何か」を忠実にとらえることを意味するのです。

こうして、私たちが思い描く主観的なものにとらわれるままにならずに、「何か」を客観的にとらえることで、本当の意味で知っていると言えるようになります。したがって、私たちが「何か」について知り、論理によって説明できているとき、その**客観性**は、本当に知っていると言えるための、**第四の条件**なのです。私たちが「何か」に出会い、それをありのままにとらえてはじめて、その「何か」について疑問を持ち、なんらかの答えを導き出し、それを論理によって説明できるようにすることで、誰もが共通の答えを持ち、本当に知っていると言えるのです。

私たちはどこまでも知ることができるだろうか

私たちは、夜空に輝く遠くの星々のところへ行って、間近で見ることはできません。実際にその星がどんな姿をしているのか、直接に経験することは難しいでしょう。

しかし私たちは、知識とともに、ことばと論理を駆使することで、その遠くの星々について詳しく説明することができます。それはとても説得力があって、誰もが納得できるものでしょう。しかも私たちは、こうした論理をどこまでも連ねることができます。けれどもそれは、誰も経験したことのないものでもあります。こうした論理の連なりを、私たちは本当に知っていると呼ぶのでしょうか。論理を連ねてゆくことには、どこかに**限界**があるのではないでしょうか。

その一方で、夜空に小さく輝くその星の光を、私たちは見ることができます。その星が実際にどんなところで、その光がどういうものなのか、見ただけで詳しいことはわかりません。しかしその小さな光を、ありのままに経験しています。こうしてとらえられる限りで、私たちはその星について、まちがいなく知っていると言えるのではないでしょうか。

参考図書

ベーコン『ノヴム・オルガヌム』桂寿一訳、岩波文庫
ロック『人間知性論』大槻春彦訳、岩波文庫
カント『純粋理性批判』篠田英雄訳、岩波文庫
カント『プロレゴメナ』篠田英雄訳、岩波文庫
フッサール『イデーン　純粋現象学と現象学的哲学のための諸構想』渡辺二郎訳、みすず書房
ウィトゲンシュタイン『論理哲学論考』野矢茂樹訳、岩波文庫

第六章　知ろうとしている「何か」とは何か

これはパイプではないのか

一枚の絵を紹介しましょう。ルネ・マグリットの描いた油彩画『イメージの裏切り』（一九二九年）です。この絵にはパイプが描かれています。そのパイプの下には、「これはパイプではない。（«Ceci n'est pas une pipe.»）」ということばが記されています。パイプが描かれているのに、「パイプではない」と記されているのを見たら、どんな感じがするでしょうか。とても奇妙な気持ちになるのではないでしょうか。

では、こうした気持ちになるのは、どうしてでしょうか。同じ絵のなかで、描かれているものがことばで否定されていますから、まるで絵が自己否定しているように見えます。この相反する状況が同じ一枚の絵のなかに表現されているところに、私たちは奇妙な気持ちにさせられているのかもしれません。

それでは、私たちが見ているのはパイプなのでしょうか。それともパイプではないのでしょうか。実は、この問いに「パイプである」と答えても、「パイプではない」と答えても、どちらであっても正解になるし、不正解にもなります。こう言われたら、ますます奇妙な気持ちになるかもしれません。どうして私たちはこのような気持ちになるのか、マグリットのこの絵にはどのような意味があるのか、さまざまな見解がありますが、たとえば次のように解釈することもできます。

一方で、描かれたパイプは実物のパイプではなく、「パイプの絵」にすぎません。ですから答えは「パイプである」ではなく、「パイプではない」です。「これはパイプではない」と記されているとおりです。他方で、私たちは、描かれているものを指して、それをわざわざ「絵である」と言うことはないでしょう。パイプの描かれた絵が目の前にあれば、題材となっている絵のパイプのほうを指して、「パイプである」と答えるでしょう。ですから、答えは「パイプではない」ではなく「パイプである」です。この場合、絵に記されている「これはパイプではない」とは反対になります。

私たちがマグリットの絵に感じる奇妙な気持ちは、「パイプ」が実物でもありうるし、絵のことでもありうるので、どちらのことを指すのか、わからないせいだと言えます。しかも、絵にはパイプが描かれているのに、「これはパイプではない」と記されているので、余計にわからなくなるのです。

こうした混乱は、「パイプ」という答えが指し示すものが、ずれていることから生じています。パイプの実物とパイプの絵との区別があり、どちらが「パイプ」という答えに対応するのか、迷ってしまうのです。

「何か」とその答え

私たちが「知っている」とは、「何か」がいったい何か、その答えを知っているという意味です。たとえば、私たちがパイプを知っているとは、目の前にある「何か」の答えが「パイプ」だと知っているという意味です。

そもそも私たちは、問われている「何か」と、導き出された答えが合致すると思っています。目の前にあるイスを指して、「イス」だと呼ぶのは当然です。それは、問われているイスのことを指して、「イス」だと答えを導き出し、「イスだと知っている」と言うことです。ふだんの私たちは、このように「何か」と答えが合致し、対応関係にあると思っています。

ところが、先ほど取り上げたマグリットの絵の場合にはどうだったでしょうか。パイプが描かれている絵に、「これはパイプではない」と記されていることによって、当然のように思っていたことが揺るがされます。あれがいったい何か、ただちに答えを出せません。「パイプ」だと答えを導き出したとしても、それが実物と絵のどちらと合致するのか、よくわかりません。「パイプ」ではない、という答えを導き出したとしても、記されていることばとは合致していますが描かれているものと合致しなくなり、これもまたよくわかりません。「何か」と答えとの対応関係が成り立たなくなってしまいます。

しかしこれは見方を変えれば、実物であろうと絵であろうと、どちらからも同じ「パイプ」だという答えを導き出すことができます。「何か」がどちらであっても同じ「パイプ」という答えを合致させることができます。どちらについても「パイプ」だと言えるのです。

このように、特定の「何か」に対応して特定の答えがかならずしも合致するわけではありません。異なる「何か」から同じひとつの答えが出せることもあれば、「何か」から正反対の答えが出てくることもあります。「何か」と答えは、つねにひとつに合致しているのではなく、むしろ**区別できる**のです。マグリットの絵は、そのことを気づかせてくれます。そしてこの絵は、私たちの導き出した答えが、問われている「何か」を正確に指し示しているのか、それが私たちの知りたいと思っているものなのか、疑問を突きつけています。知りたいと思って導き出した答えが、知りたかったものを表していないかもしれないのです。

そもそも「答え」とは

私たちは、「これはなんだろう」と、目の前にある「何か」について問います。その「何か」のことを知りたいと思っています。それによって導き出されたのが**答え**であり、私たちの知りたかったもののはずです。ところが、その答えが目の前の「何か」から区別され、両者は合致するとは限らないという話が出てきました。知りたいと思っているものと、知ることのできたものがちがうのだとすれば、私たちはいったい何を知ろうとしているのか、よくわからなくなってしまいます。

では、そもそも私たちが知りたいと思って導き出した答えとは、いったいなんなのでしょうか。

事例をいくつか出しましょう。目の前に「何か」があるとします。そして私たちが出会い、最初はわからなかったその「何か」は、イスだとわかったとします。「何か」の答えは「イス」です。いま、そのイスを目の前からどこか別のところへと移動させたとします。それによって、私たちの目の前からイスが見えなくなりました。では、目の前からイスという物体が見えなくなったら、「イス」だという答えもまた、どこかへ消えてしまうのでしょうか。そんなことはありません。イスが私たちの目の前から見えなくなっても、「イス」だという答えがなくなり、イスだとわからなくなり、イスについて知らないということにはならないはずです。

今度は、イスを移動させるのでなく、破壊し粉々にしてしまったらどうでしょうか。イスは、跡形もなくなっています。もはや目の前にイスはありません。ではこれによって、「イス」だという答えもまた、破壊され粉々になるでしょうか。それもまたありえません。イスが消滅しても、「イス」という答えが同じように消滅しないのです。

世のなかには、イスはたくさん存在しています。それらは色や形状や材質など、すべての点で何かしらちがいがあります。ところが、私たちはそうしたちがうものから、「イス」という同じひとつの答えを導き出しています。

さらにこういうこともあります。私たちがイスについてすでに知っていて、「イス」という答えを持っているとき、実際に目の前でイスに出会ったら、私たちはそれを迷わず「イス」だと答えます。また、隣の部屋で別のイスに出会ったときにも、それを「イス」だと答えるでしょう。私たちは、別々のイスに出会っても、それらを全部「イス」という同じ答えで呼んでいるのです。

以上のような事例から、私たちが知ろうとしている答えとはどんなものか、いくつかの特徴がわかってきます。

第一に答えとは、**変化しないもの**です。「何か」は移動や消滅などの変化をしますし、放っておいても、時間経過とともに変化します。これにたいして答えは、なんら変化することなく、指し示しているものからも影響を受けないものなのです。実物のイスが古くなっても歪んでも「イス」という答えに変わりありませんし、粉々になっても「イス」という答えは粉々にはなりません。

第二に答えとは、**普遍的なもの**です。複数のさまざまなものがあっても、それらに共有された、いわば共通項のようなものを、同じひとつの答えで言い表します。赤いイスや青いイスのように、色が異なっても同じ「イス」ですし、ひとつひとつ別々のイスがあっても、すべて「イス」と呼びます。

第三に答えとは、**「何か」の異同の判断基準になるもの**です。あるものと別のものが同じ答えで言い表されれば、そのふたつのものが共通項のあるものだとわかりますし、別々の答えで言い表されれば、ちがうものとして区別できるとわかるのです。いくつかのものを全部「イス」と呼んでいるのであれば、それらは同じ種類や意味のものだと言えますし、「イス」と「机」と「棚」だと呼んでいるのであれば、それぞれ別々の種類や意味のものだと言えます。

答えはどこから来るのだろう

さて、私たちは「何か」に出会い、そこから答えを導き出します。ですから私たちはふだん、答えはその「何か」とひとつにセットになっていると思っていますし、答えは「何か」から出てきていて、その「何か」に由来するものだと思っています。ところが先ほど述べたように、答えは「何か」と合致するとは限らない、ということがありました。それでは、答えが「何か」と合致しない場合に、私たちはそのような答えを、どこから導き出しているのでしょうか。そのような答えは、どこからやって来ているのでしょうか。

こうした疑問を投げかけられると、やはり答えはその「何か」から導き出されるのではないか、答えと「何か」が別々であるわけがない、それが当然ではないかと思うかもしれません。たしかに答えとは、「何か」に出会ってはじめて導き出されてきます。イスがないのに「イス」という答えは出てきません。ですから、答えは「何か」に元々備わっているものだと言えるでしょうし、「何か」からやって来ているものだと言えるでしょう。そしていくつかのものがあれば、それらに**共有されている性質**、それらに含まれる**共通項**を取り出して、答えと呼んでいるのです。さまざまな物体があったとき、そのなかから形状や用途などの共通項を見つけて、「イス」だと答えを導き出すのです。

では、答えが「何か」に元々備わっているものだとすれば、さまざまなものがあるにもかかわらず、それらがどうして最初から共通項を持っているのでしょうか。それらはひとつひとつちがいます。同じように「イス」と呼ばれても、色や形状や材質が異なるだけでなく、歪んでいたり壊れていたりするものもあります。それらを比べて、似ても似つかなくても、私たちは同じ「イス」だという答えを導き出します。とりわけ壊れかけているようなものを「イス」だと言えるには、壊れる前の、**見本**となるようなイスが必要なのではないでしょうか。さまざまなものがあっても、見本のイスに照らし合わせて「イス」だと言えるのではないでしょうか。

しかし今度は、この見本がいったいどこにあるのかという疑問が出てきます。見本が存在するのだとすれば、それを最初に知っておかなければ、さまざまなものと出会っても照らし合わせることができません。しかも私たちは、見本に最初に出会えるとは限りません。そもそも、そのような見本が、どこかに実際に存在しているのでしょうか。おそらく私たちにはわからないでしょう。それなのに私たちは、どういうわけか見本のことを知っていて、それに照らし合わせて、さまざまなものに共通するものを答えとして導き出せています。ということは、私たちは見本に出会わなくても、共通の答えを導き出していることになるのです。

こうなると、答えが「何か」に由来するとは言い切れなくなるように思えてきます。すると、答えは「何か」とは別のところから導き出されているのではないかと思うのではないでしょうか。また、見本となるものも、「何か」のほうにあるのでなく、「何か」とは別のところにあるのではないでしょうか。

すでに述べたように、「何か」と答えはかならずしも合致するとは限りませんでした。答えは、「何か」に由来しないのだとすれば、それ以外のところからやって来ていることになります。答えは私たちと「何か」との間で導き出されますので、「何か」以外となると、そこには私たちしかいません。そうなると答えは、**私たちが用意したもの**ではないかと言えてくるのです。その答えとは、「何か」

にたいして私たちが与えている名前のようなものです。たとえ歪んでいたり壊れていたりしても、私たちがそれらのなかに共通項を見つけて、それによって同じ「イス」だと名づけるのです。私たちがイスだと思えるのならば、私たちは「イス」という答えを導き出せるのです。

見本となるものもまた、あらかじめ私たち自身のなかに持っているのではないでしょうか。その見本をそのつど出会ったものと照らし合わせて、答えを出しているのです。

では、答えが私たちから与えたものだとすれば、私たちはどういう根拠で答えを決めることができるのでしょうか。基準となる見本があるとしても、私たちはその見本をどうして持っているのでしょうか。そうした見本を使って、答えを好きなように決められるのでしょうか。けれどもそれだと独断と同じことになってしまいます。答えが私たちに由来し、私たちのほうから「何か」に与えるのだとすれば、独断というワナに陥る危険性が出てきます。

答えがどこからやって来るのか、「何か」から引き出されているとも、私たちが与えているとも言い切れません。その出処には疑問が残ったままです。しかしながら、私たちと「何か」とのやり取りのなかで答えが導き出されているとは言えるのではないでしょうか。

そもそも「何か」とは

さて、そもそも私たちが答えをつうじて知ろうとしたのは、問われている「何か」です。「何か」は、私たちが導き出す答えを備えているにせよ、あるいは答えとは別のところにあるにせよ、私たちがやり取りしているどこかにあります。私たちは何をするにしても、何を問うにしても、「何か」に囲まれていて、それが存在していることを前提としています。私たちが知りたいと思えるのは、そうした「何か」に出会うからです。

私たちを取り囲む「何か」には、すでに知っているものだけでなく、まだ知らないものもあります。未知のものに出会ったとき、私たちは知りたいと思い、実際に知ってゆくことになります。ただしこれによって、ありとあらゆるものが既知のものになるとは限りません。つねにまた、未知のものに出会うでしょうし、むしろ、私たちの身の周りには、未知のものであふれていると言っても過言ではないでしょう。私たちは、まだわからないこと、未知のものに取り囲まれてずっと生きているのです。

このように私たちは、「何か」と、当然のように向き合っています。その一方で、未知の「何か」にあふれ、それに取り囲まれていることに、私たちがなんらの疑問も感じないという、このあまりに当然のことは、かえって不思議にも感じられます。

これにたいしては、わからないことや知らないものがあっても別にかまわないのではないか、と思うひともいるかもしれません。

たとえば、いま足元に、中身のまったくわからない箱があったら、どう感じるでしょうか。ずっとそのままだったら、どんな気分でしょうか。箱を開けてみたくはならないでしょうか。中身を確認してみたくはならないでしょうか。このままだと、開けてみたいという好奇心や、中身のわからない不安感を、我慢したままでいることになります。知らないものを知らないままにしておくこと、わからないことをわからないままにしておくことはあるのでしょうか。知らないものがあれば、私たちは、「知りたい」という気持ちに動機づけられて、知らないものを知ろうとするのではないでしょうか。

　では、ふだんから私たちを取り囲み、私たちの「知りたい」気持ちを動機づける、この「何か」とは、いったいいなんなのでしょうか。

　いま、あたりを見渡して、さまざまなものがあるのはわかるでしょう。イスであったり、パイプの絵であったり、家族であったり、友人であったり、いろいろなものがあります。このように「ある」と言えるのは、少なくとも、それらが存在していると、私たちがわかっているからです。「何か」が存在しているとわかるのは、その存在している「何か」が見えていたり、聞こえていたり、触れることができたりしているからです。

　たとえば、目の前にあるイスが見えれば、そのイスが存在しているとわかりますし、隣の部屋から歩く音が聞こえれば、誰かがいるとわかります。そこにイスが見えず、隣の部屋で物音がしなければ、存在しているかどうか、わからないでしょう。私たちには五感があるので、「何か」の存在を知覚することができるのです。このように私たちは**知覚**をつうじて、「何か」が存在していると言えるのです。

　では逆に、私たちに知覚がなかったら、「何か」の存在はどうなるのでしょうか。たとえば私たちは眠っていたら、あたりを見ることも聞くことも触れることもありません。このとき、先ほどまで知覚していた「何か」はどうなっているでしょうか。眠っている間もその「何か」を五感によって知覚していたとしても、眠っていたら、知覚しているかどうかわかりません。眠る前にイスが存在しているのを見ていたとしても、眠っている間、イスがその場にずっと存在しているかどうかわかりません。誰かがどこかに持ち去って、一時的にイスがなくなり、目覚める前に元に戻していたとしても、イスが存在していなかったとは思わないでしょう。

したがって、私たちは知覚されることがなければ、「何か」が存在しているのだと言えませんし、私たちが知覚できていれば、「何か」は存在しているのだと言えます。つまり、「何か」が存在するとは、知覚されていることであり、「何か」とは知覚されたものを指していることになるのです。

「何か」はどこにあるのだろう

「何か」の存在が知覚されているとは、五感をつうじて知覚されたものが、私たちの意識のなかに入ってきていることを意味します。イスの存在を知覚しているとは、そのイスを見ることをつうじて、私たちの意識のなかにイスが映し出されているようなものです。こうして入ってきたものを、私たちは「存在している」と呼んでいるのです。

このように「何か」の存在が知覚をつうじて私たちの意識のなかに入ってきているのだとすれば、この「何か」とは、私たちの意識の**内部**に存在するものだ、とも言えるのではないでしょうか。それは、「何か」が**知覚されている間だけ存在している**ということです。

たしかに、目覚めている間は存在するのがわかり、眠っている間にはわからないとなると、意識があるかないかで、存在しているかどうか左右されています。するとやはり、この世に存在するありとあらゆるものは、意識のなかにあることになります。しかしすべてが意識の内部に存在しているのだとすれば、存在しているのは、そうした意識を持つ自分自身だけだということになるかもしれません。

けれども見方を変えると、こうも言えます。「「何か」の存在が知覚をつうじて意識のなかに入ってきていると言えるのならば、この「何か」とは、私たちの意識の**外部**からやって来たものだということも言えるのであって、「何か」は、**私たちの知覚とは別のどこかに存在しているのではないか**」と。

私たちはふだんから、あたりを見渡して感じられるこの世界が、眠る前と目覚めた後で変わっていないと思っているでしょう。ですから、「何か」が私たちの意識の外部に存在しているという見方は、ごく自然に受け入れられるかもしれません。

ところで、「何か」が私たちの外部に存在し、それが私たちの意識のなかに入ってきているのだとすれば、そのことは、「何か」と私たちとの間に、少なからず**隔たり**があることを意味するのではないでしょうか。この隔たりは、私たちと「何か」との間をきっちりと分けています。そうすることで、私たちは「何か」でなく私たちだと言えますし、「何か」もまた私たちでなく「何か」だと言えます。こうやって私たちと「何か」を識別するものとして、その隔たりは埋めようのないものでしょう。すると私たちは、その隔てられた向こうの存在に本当に出会えるのでしょうか。もしかしたら私たちは、「何か」の実像について、まったくわからないかもしれません。

けれども存在する「何か」

これまで、「何か」が私たちの意識の内部に存在するのか、私たちから隔てられた外部に存在するのか、という話をしてきました。しかしそのどちらが本当であっても、私たちがそのような話ができるためには、「意識の内部と外部が区別されている」ということが、最初から暗黙のうちに想定されていないといけないのではないでしょうか。この区別があるから、「何か」が意識の内部にあるのか、あるいは外部にあるのか、という問いを立てることができるのではないでしょうか。こうした想定がある限り、私たちの外部には、私たち自身から隔てられた別の世界があることになります。私たちが「何か」について知ろうとしたとき、「何か」がその隔てられた世界にあるならば、「何か」はつねに私たちの手の届かないもので、究極的に知りようのないものではないでしょうか。

けれどもこれでは、「何か」が存在しているかどうか、まったくわからなくなってしまいますし、「何か」が存在しているということすら言えなくなってしまいます。

それならば逆に、何も知りえないし何も言えないからと、「何か」は存在していないことになるのかと言えば、それもまたそうだと言い切れません。

「何か」は私たちから隔てられている以上、私たちの思いどおりになるものではありません。むしろ思いがけず出会い、私たちの目の前に現れるでしょう。こうした「何か」と出会うとき、それはたんに私たちの知覚や意識にはおさまらないもの、私たちの意識の内部とは異なるものであるようにも思えます。どれだけヴァーチャル・リアリティ（仮想現実）が精巧にできているとしても、触れたときの質感や、見えるものの拡がりなど、実在している「何か」には、意識の内部の世界とはちがう感触があります。また、「何か」には、つねに知覚できない面、別の時間帯の存在が残り続け、私たちはすべてを知覚し尽くしているわけではありません。知覚できている存在に接して、まるで影のように、知覚しきれていない「何か」があるように思えます。したがって、やはりどこかに「何か」が存在していると思うのではないでしょうか。

参考図書

プラトン『パイドン　魂の不死について』岩田靖夫訳、岩波文庫
プラトン『パルメニデス』田中美知太郎訳、岩波書店
アリストテレス『形而上学』出隆訳、岩波文庫
バークリ『人知原理論』大槻春彦訳、岩波文庫
カント『純粋理性批判』篠田英雄訳、岩波文庫
カント『プロレゴメナ』篠田英雄訳、岩波文庫
フーコー『これはパイプではない』豊崎光一・清水正訳、哲学書房

第Ⅲ部　存在する

第七章　存在しているのは夢か現実か

胡蝶の夢

　これまでの問い続けてきた営みは、私たちや「何か」が存在している、というところにまでたどり着きました。本章からは、この「存在している」ことについて問いを投げかけてみましょう。

　世のなかには、日常生活ではありえないような出来事の起きることがあります。たとえば、宝くじで大当たりすることなど、めったに起きることはありませんが、現実にはどこかで誰かが当選しています。かんたんに当選するはずがないと思いつつ、宝くじを買うひともいるでしょう。では、もし宝くじが当たったら、どうするでしょうか。それで大金を手に入れたら、おいしいものをお腹いっぱい食べるでしょうか。欲しかったものを全部買うでしょうか。世界中を旅するでしょうか。あるいは全額貯金したり、どこかに投資したりするでしょうか。急に大金が手に入ったら、と思うと、その使い道にあれこれ夢が膨らみます。その夢のようなことを語らうだけでも、楽しい気持ちになるかもしれません。

　このように夢を思い、語らっているうちはまだいいのですが、本当に莫大な大金を急に手にしてしまったとき、私たちはどうするでしょうか。まさに夢のようなことが現実に起きたとき、私たちはそれを現実の出来事として冷静に受け入れ、適切に行動することができるでしょうか。また、そのような現実に直面している自分自身のことを、想像することができるでしょうか。

こういう夢のような現実については、まさに「夢のような」ことですので、それが現実だった場合のことなど、なかなかピンと来ないかもしれません。では次のような場合はどうでしょうか。

朝、目覚めたとき、ついさっきまで見ていたこと、体験していたことはなんだったのか、と思うことがあるでしょう。さっきまでの場面は、いま目の前に見える世界とはまったくちがうけれども、私たちのふだんの体験となんら変わりなく、生々しく感じられました。まず私たちは、さっきといままでは、その体験の生々しさには変わりがないのに、まるでちがう場面であることに、混乱してしまうでしょう。次に私たちは、いまが目覚めている場面だということから推測して、さっきまでの場面が現実だったのか、あるいは夢だったのか、出来事を整理しはじめるでしょう。そして一連の状況を総合してみて、さっきまでの場面はすべて夢のなかの出来事だったのだ、と結論づけるでしょう。このとき私たちは、ずいぶんとリアルな夢を見たものだと驚くかもしれません。このように、私たちは現実のような夢、妙に生々しくて「現実だ」と言ってもなんの遜色もない夢を見ることがないでしょうか。

現実とはなんだろう

私たちはふだん、現実の世界に存在しています。そして私たちは、その現実を、夢や幻の世界とはちがうと思っています。とくに、眠りから覚めたとき、さっきまで見ていたのが夢で、いま起きて見ているのが現実だと、はっきりと区別することができます。

ところが、先ほどの事例のように、私たちは夢のような現実や、現実のような夢を体験するときがあります。現実と夢の区別がつかず、混乱してしまうときがあります。このときふだんの私たちは、その混乱をごく自然に解きほぐし、現実と夢を区別することでしょう。しかしながら、こうして区別できるのは、実はとても不思議なことではないでしょうか。あまりに現実離れした、途方もなく夢のようなことも、私たちは現実だと受け取りますし、現実と寸分もちがいを感じさせないようなことを、私たちは夢だったと理解します。私たちは、どれだけ夢のようであっても現実だと判断し、どれだけ現実と変わらないようでも夢だと判断できます。どうして私たちは、現実と夢を区別することができるのでしょうか。何を根拠にして、私たちは現実なのか、あるいは夢なのかを判断しているのでしょうか。

そもそも、私たちが言う**現実**とは、つまり**現実に存在するもの**とは、いったいなんでしょうか。夢や幻が、消えてなくなってしまうようなもの、実体のないものであるのにたいして、現実に存在するものとは、目の前の事実であったり、持続的に存在しているようなものということでしょうか。

たとえば、眠っている間に見ている夢は、目覚めたとたんに消えてなくなってしまいますが、目覚めて目の前に広がっている世界は、私たちが起きているときはもちろんのこと、眠っているときにも変わらず存在し続けているはずです。ですから、次にふたたび目覚めたときにも、消えることなく同じ世界が同じように拡がっているのです。私たちはふだんこういう世界を、現実に存在するものだと呼んでいます。

では、こうした現実に存在するものが本当に存在していると言えるのでしょうか。いま目の前に見えているのが現実に存在するものだと、どうして言えるのでしょうか。たとえば、これは夢や幻ではない、現実なのだと、ほかの誰かにどうやって説明するでしょうか。

夢や幻とはちがって、私たちはどういうものを指して、現実に存在すると呼んでいるでしょうか。夢は眠っている間に勝手に見ているものですし、幻は実際にないものを存在するかのように思い込んでいるものです。それらは私たちの心のなかに存在していると言えるでしょう。これにたいして、現実に存在すると呼ぶのは、私たちの心のなかではなく、私たちの外部に、それ自体として独立に存在しているものを指すときです。ですから、現実に存在すると呼べるのは、私たちが勝手に決めつけたり思い込んだりすることに左右されずに、それが私たちの外部に存在しているからなのです。現実に存在するわけとは、私たちの外部に「何か」があることだと言えるのではないでしょうか。

では今度は、「何か」が存在しているのは私たちの外部だと、どうして言えるのか、という疑問が出てきます。「私たちの外部に存在する」と言っているのは、私たち自身の決めつけや思い込みではないでしょうか。そのようなものでなく私たちの外部にあるのだと、ほかの誰かにどうやって説明するのでしょうか。

私たちの外部に存在すると呼んでいるものは、私たちの内部になく、夢でも幻でもないものです。

ですから、私たちの外部にあると言えるのは、私たちの心のなかにある夢や幻でなく、それが**現実に存在している**からです。「何か」が私たちの外部にあるわけとは、夢でも幻でもなく現実であることだということになるでしょう。

いま私たちは、現実である根拠を私たちの外部にもとめ、私たちの外部である根拠を現実にもとめてしまっています。これだと、根拠をもとめてぐるぐると**循環**に陥ってしまいます。ですから、現実に存在すると言えるには、そのわけを別のところにもとめなければなりません。

現実だと証明するには

夢や幻ではなく現実であることを証明しようとしたとき、たとえば、自分自身の手や頬をつねって、痛いから夢ではない、と確認したことはないでしょうか。実際に痛みを感じれば現実で、そうでなければ夢だ、ということです。つまり現実だと言えるのは、私たちにその**感覚**が実際にあるからだ、ということになるでしょう。私たちは、五感をつうじて、豊かな知覚を受け取ることができます。それはときに、私たちの想像を超える体験をもたらしてくれることもあります。夢のなかには、予想外の内容もあるでしょうが、それを五感で存分に体験できるとは限らないでしょう。まさに現実だという実感が湧かないのです。ですから、私たちの感覚は、たしかに現実の生々しさを示す証拠だと言えるかもしれません。

ところが私たちの感覚は、かならずしも万能だとは言い切れません。窓の向こうに雄大な風景が広がっていると思ったら、実は一枚の壁紙にすぎなかったということや、ヘビが現れたと思ったら、ただの縄ひもだったということもあるでしょう。私たちは見まちがえたり、聞きまちがえたりします。つまり私たちの感覚は、ときに**錯覚**を引き起こすのです。現実だと思わせる感覚があったとしても、実は錯覚だったということがありえます。錯覚を引き起こすもののなかでも、とりわけ巧妙にできているのがヴァーチャル・リアリティ（仮想現実）の世界です。見ている映像や聞こえる音声だけでなく、匂いや触れている感覚まで精巧で、それは現実と区別できないほどです。このように、限りなく現実に近い世界がありますから、本当に現実なのかどうか、わかりにくくなっています。

「感覚があるから現実なのだ」と言うことには、さらに別の疑問も出てきます。つまり、感覚できるから現実なのだとすれば、逆に感覚できなければ現実に存在しないのか、という疑問です。たとえば私たちは空気を見たり、それをつかんだりすることができませんが、現実に存在しないとは思っていません。また、見えているタワーに向かって歩いていて、角を曲がってそのタワーが見えなくなったら、感覚できなくなったからと、タワーが現実に消えてなくなったとは思わないでしょう。

このような事例からすれば、感覚できていないことを根拠として、現実ではないとは言い切れないのです。したがって私たちの感覚は、現実に存在することを証明するための手がかりとするには、十分だとは言えないでしょう。

ところで私たちは、目覚めたときに、さっきまで見ていたのが夢で、起きているいまが現実だと区別することができます。また私たちは、何かを見まちがえたとき、たとえヴァーチャル・リアリティ

（仮想現実）のように限りなく現実に近いものだとしても、それを最終的には錯覚だと気づきます。つまり、これは錯覚であって、現実とはちがうと区別できます。もしかしたら、見まちがっているものを本当だと思い込み、錯覚だと気づかないまま、現実だと勘ちがいしているかもしれません。しかし私たちはどういうわけか、錯覚と現実を区別することができます。さらに私たちは、隣の部屋や遠い外国のように、いま目の前に見えないものであっても、「現実に存在していない」とは言いません。もしかしたら、本当は存在しないかもしれないのに、現実に存在しているかどうかわかります。感覚できないとしても、「現実に存在する」と言えます。

このように私たちはふだん、現実に存在しているのかがわかり、そのことに確信を持っています。少なくとも私たちは、現実に存在しているものを夢や幻からきちんと区別できています。ということは、「何か」が現実に存在すると言えるのは、ふだんから**私たちが現実だと識別しているから**だ、ということにならないでしょうか。

こう言われると、もしかしたら拍子抜けするかもしれません。どれだけきちんと識別して現実だとわかったとしても、そこに私たちの独断や錯覚がまったくないようにすることなど、できるのでしょうか。私たちが識別することから現実だと言うには、こうした独断や錯覚を免れないようにも思えます。

ほかの誰かに証明してもらえるか

いま目の前にある「何か」が現実に存在していることを、私たちが識別することで証明しようとすると、独断や錯覚に陥るかもしれません。けれどもこのようなとき、次のように言うことがあるでしょう。「自分自身だけでなく、ほかの誰かも同じ「何か」を見ているし、そのひとも同じように現実だと識別しているではないか、だからその「何か」は現実に存在するのだ」と。つまり「何か」が現実に存在すると言えるのは、ほかの誰かも一緒になって、現実だと識別しているからであり、現実の存在だということを共有しているからだ、ということです。

たしかに、ほかの誰かも自分と同じように現実だと認めてくれれば、自分だけの見ている夢や幻ではないと言えるでしょうし、独断でも錯覚でもないことになるでしょう。ですから、ほかの誰かがいてくれれば、「何か」が現実に存在していると証明できるように思えます。

ところが、ほかの誰かは、私たちの目の前にある「何か」と一緒の世界に存在しています。「何か」が現実に存在することを証明しようとしているのに、その「何か」と同じ世界にいるひとが「現実だ」と言っても、それでは証明していることにならないのではないでしょうか。

たとえば、目の前にあるイスが夢でも幻でもなく現実に存在するのだと思うのだけれども、そのことを証明しようとして、隣にいる友人に現実かどうか尋ねたとします。その友人が「現実だ」と答えてくれて、答えが自分の意見と合致したので、やはりイスは現実に存在するのだ、と結論づけられるでしょう。ところが、いま目の前には、イスだけでなく、その友人も存在しています。イスと同じ世界にいる友人が「現実だ」と答えても、そもそもその世界が夢や幻のなかかもしれません。夢のなかの世界やその世界にあるものが現実かどうか、その夢のなかにいる友人に確認を取って、その友人が

「現実だ」と言ったからと、見ている夢は現実だということにならないでしょう。

結局のところ、たとえほかの誰かと一緒になって「何か」が現実に存在することがわかったとしても、その人物が現実に存在するのかどうか、という疑問もまた生じてきます。そもそも、「自分自身のほかに誰かが現実に存在している」と、なぜ言えるのでしょうか。「何か」の存在と同じように、その人物も現実に存在するのかどうか、さらに証明が必要になるのです。

あなたはだあれ

いまここで、ほかの誰かの存在、という話が出てきました。私たちはふだん、ほかの誰かを自分自身以外のもの、私でないものだと理解しています。しかし、自分自身以外のものならば、イスなどの物体にもあてはまります。けれども家族や友人など、ほかの誰かのことを、イスと同じ「物体」とは言わないでしょう。それがどうしてかと言えば、ほかの誰かは、自分自身と同じように人格や自我を持っていると思われるからです。このように、自分自身以外の存在でありながらも、自分自身と似たような人格や自我を持つ存在は、**他者**と呼ばれます。

他者とは、私と似たような人格や自我を持つとはいえ、そもそも私とはまったく別の存在です。誰もが別々の存在ですから、考え方や価値観もそれぞれ異なるでしょう。目の前に存在する世界を区別する仕方もまた、それぞれ異なるはずです。

たとえば目の前にイスが存在するとき、私と他者ではそのイスを見ている位置が異なりますから、イスにたいするそれぞれの見方も異なりますし、イスが見えたときの感じ方も異なるでしょう。目の前に存在するのがイスでなく友人の場合も同様です。私と家族が友人に出会ったとき、私と家族では、友人を見ている位置が異なりますから、見方も感じ方も異なるでしょう。すると、目の前には、誰が見ても同じ友人が存在しているのでなく、私から見た友人、家族から見た友人と、異なって感じられる友人が存在していることになります。

存在している友人とは、あくまで「私から見た友人」であって、「家族から見た友人」とは異なります。ですから、家族が私と同じものを見ているとしても、その見ているものが同じだとは言い切れませんし、現実に存在しているものを見ているとも限りません。そして家族もまた、イスや友人と同様に私が見ているもののひとつですので、その家族がそもそも現実に存在するのかという疑問が出てきます。

友人などの他者は、私が見ているイスと同じ世界のなかに存在しています。その友人が、家族が見ている世界のなかにいる友人と、同一人物とは言い切れません。私が見ている他者は、私の見ている世界にしかいないからです。他者はまるで、私の世界の住人であるかのように、私の一部分になって存在しているのです。

しかしそもそも他者とは、自分自身以外のもの、私でないものです。ですから、私の一部分になってしまっているような他者は、他者ではなく私であって、本当の意味で他者とは呼べないのではないでしょうか。むしろ他者とは、私でない存在として、私の理解におさまらないもの、私の世界におさまらないもののはずです。「私でない」という性質を備えた存在だとも言えるでしょう。まさに、私でない存在こそが他者なのです。

けれども今度は、他者が私の理解を超えた存在になってしまえば、私たちは他者について、究極的に何もわからなくなりますし、何も言えなくなってしまいます。とはいえ実際には、私たちは他者について、私たち自身が見ている世界にいる限りは理解できますし、存在しているとも言えます。したがって他者とは、一方で私たちが見ている世界にいる限りでの私たちでない存在ですし、他方でやはり私たちの理解を超えた手の届かない存在でもあるのです。

他者がこうした性質を帯びるならば、同じように見ているさらに別の他者も、同様の性質を持っていると言えます。目の前にいた友人も、一緒に見ていた家族も、どちらも他者です。友人にたいする見方が私と家族で異なるとしても、そもそも家族がどのように友人を理解しているか、私は究極的にわからないでしょうし、そもそも家族が現実に存在すると言えるかどうか、友人の存在ともども問われなければならないでしょう。

こうした他者が現実に存在するかどうか、そしてさらに別の他者が現実に存在するかどうか、どちらも私自身が証明する以外に方法はありません。もちろん他者は、私を超えた存在ですが、ほかでもない**私が識別する**ことで、現実に存在すると言えます。

結局のところ、「何か」が現実に存在すると言えるのも、他者が現実に存在すると言えるのも、どちらも私が識別するしかないように思えます。現実に存在すると言えるのは、ほかでもない私が識別するからなのです。

私はだあれ

さて、「何か」や他者が夢や幻でなく現実に存在していると識別できるという、このほかでもないこの**私**とは、どのような存在でしょうか。私とはいったい誰でしょうか。

たとえば自己紹介をするのは、私が誰であるのかを説明することですし、私がどのような存在であるのか明らかにすることです。自己紹介では、自分自身の趣味や性格、長所や短所などを話題にするでしょう。このとき、ほかの誰かとはちがう、自分に固有のことを取り上げるはずです。このように他者から区別することで、私がどのような存在であるのかを明らかにします。これは私が**唯一無二の存在**だということを意味しています。他者ではない面を備えているのが、私という存在なのです。

先ほど他者についての話のなかでも述べたことですが、私が見ている世界は、他者が見ている世界とは異なります。私が見ている世界は、究極的には私にしかわかりません。ですから、私が見ている世界は、私に固有のものですし、その世界は、私を特徴づけるもののひとつだと言えます。

しかしこれもすでに述べたことですが、他者は私でないものとして区別されてもいますし、私が見ている世界のなかに存在してもいます。私が見ている世界のなかに他者がいることは、私のなかに「私でないもの」がいることを意味します。

したがって私とは、唯一無二の存在であり、ほかでもない固有のものでありつつ、**自分自身でない**

ものを含む存在でもあるのです。

ところで、ほかでもない私が「何か」について識別をおこなえるのは、私が現実にいまここに存在しているからです。言い換えれば、私が現実にいまここに存在していなければ、「何か」について現実だと識別することができないでしょう。ですから、私が現実に存在するからこそ、私は「何か」について現実に存在すると識別できるのです。

では今度は、こうした私が現実に存在していると、なぜ言えるのでしょうか。「何か」が現実に存在すると言えるのは、私たちが夢でも幻でもなく現実だと識別しているからでした。また他者の存在についても、私が現実だと識別しているから現実にいるとわかりました。ですから、私がいまここにいることが夢でも幻でもなく現実だと言えるのは、私自身が夢や幻からきちんと区別し、現実だとはっきり識別しているからです。

では私がこうして現実だと識別するのは、どうして可能なのでしょうか。これまで述べてきたことを踏まえれば、それは私が存在しているからだと言えます。では私が現実に存在すると言えるのはなぜでしょうか。それは私の存在を現実だと私自身が識別しているからです。では私が……。

このように、私が現実に存在すると言えるのはなぜか、そして現実だと私が識別できるのはなぜか、これを問い続けるとどうなるか、もはや述べるまでもないでしょう。私が現実に存在することは、私が現実だと識別するからですし、私が現実だと識別できるのは、私が現実に存在するからです。そして以下、私の存在する現実性と、現実だと識別する私のはたらきは、延々と無限に根拠づけ合うという、循環に陥ってしまいます。そうなると、「何か」がなぜ現実に存在しているのか、私がなぜ現実に存在しているのか、結局はわからないことになってしまうのではないでしょうか。

朝、目が覚めて、さっきまで見ていたのが夢で、いま起きているのが現実だと、私たちは識別します。しかしこの「いま起きている」も、「起きている」という夢を見ている最中なのかもしれません。いま本書を読んでいるこの現実もまた、まだ夢のなかのことかもしれません。すべては夢、すべては幻で、そもそも現実などというものは、何もないのではないでしょうか。そもそも現実が現実であること、夢や幻から区別できること自体、全部フィクションかもしれません。とはいえ、私たちが夢や幻を見ているのですから、そうした夢や幻があるということは、夢でも幻でもないのです。夢や幻が、それはそれとして現実にあるということになります。夢があるということが夢ならば、そもそも夢を見ること自体がありえなくなるでしょう。いったい、現実に存在するとはどういうことなのでしょうか。

参考図書

デカルト『方法序説』谷川多佳子訳、岩波文庫
デカルト『省察』山田弘明訳、ちくま学芸文庫
マッハ『感覚の分析』須藤吾之助・廣松渉訳、法政大学出版局
フッサール『デカルト的省察』浜渦辰二訳、岩波文庫
レヴィナス『全体性と無限』藤岡俊博訳、講談社学術文庫

第八章　なぜ私たちは存在するのか

存在する不思議

私たちが存在していることは、あまりにあたりまえのことで、ふつうのことで、まさに常識です。こう言っていられるのも、また「何か」について本当に知っているのか、現実に存在しているのか、夢や幻ではないのかなどを問うことのできるのも、すべて私たちが存在しているからこそ可能ですし、こうして私たちが存在するのは、ごく自然なこと、当然のことです。

しかし、こうやって存在しているという事実に向き合うと、とても不思議な感じもしてきます。私たちが存在していることは、事実としてあまりに当然のことなので、不思議に思うことなどありえないのですが、たとえば「私たちはもしかしたら存在しなかったかもしれないのではないか」と思ったら、この当然のことを当然と思えていることが奇妙だと感じるのではないでしょうか。

けれども実際には、どういうわけか存在しています。もしかしたら、私たちは存在するとしても、別の時代、別の場所の存在だったかもしれません。太古の昔に生まれていたかもしれませんし、遠い外国で生まれていたかもしれません。けれどもやはり、どういうわけか、いまここに存在しています。

こうやって、私たちが現にいまここに存在していることに疑問を感じてゆくと、しまいには、もしかしたら本当に存在していてもかまわないのだろうか、存在してはいけないのだろうか、と思ってしまうかもしれません。しかし、どういう答えになるとしても、存在しているというこの事実には変わりありません。

先ほど不思議だと述べたのは、私たちだけでなく、ありとあらゆるものが、そもそも存在しているという事実が、あまりに当然だと思われ、平気で受け入れられているからなのです。つまりまったく何もない、まったく何も存在しない、ということもあってかまわないはずなのに、「何か」がある、「何か」が存在している、というほうが選ばれているのです。ずっと何もないこともありえたはずです。最初から何もなければ、存在することへの疑問が出てこないのはもちろんのこと、私たち自身や身の周りのものに悩まされることも、そもそもなかったはずです。もちろん私たちも最初からいないわけですから、悩むこと自体ありません。このように言うものの、不思議に思い、疑問に思う私たち自身も、この世界も、存在しているというこの事実からは、やはり逃れることができません。

「何か」が存在するわけ

私たちや「何か」はなぜ存在しているのでしょうか。何もない、でもかまわないのに存在するのだとすれば、そこにはなんらかの**わけ**があるはずです。偶然存在したのだとしても、それが偶然であるというわけがあるはずです。根拠がないとしても、独断や妄想でないのなら、根拠のないことにも根拠があります。

では、「何か」が存在するわけはなんでしょうか。この問いはとても壮大で、しかもきわめて複雑なものですから、まずは問い続けるための手がかりを探すことにしましょう。

私たちの身の周りには、「何か」が存在しています。存在する「何か」は、誕生したり消滅したり、移動したり変化したりしています。

たとえば目の前に存在しているイスは、ずっとそのままなのではなく、時間が経つにつれて、傷がついたり、壊れたりします。そのまま壊れてしまえば、それはもはやイスではなくなり、木片や鉄くずに変わります。さらに粉々になって風にでも舞ってしまえば、目の前から消えて何もなくなってしまいます。つまりイスは、どこかのタイミングでイスとして存在しはじめ、どこかのタイミングでイスとして存在しなくなります。

存在する「何か」は、どこかの時点で存在しはじめ、どこかの時点で存在しなくなるのです。言い換えれば、存在する「何か」には、かならず**はじまり**と**おわり**があるのです。「何か」は、存在しはじめたから存在しているのであり、まだ存在しなくなっていないから存在しているのだ、と言えるでしょう。

したがって、「何か」はなぜ存在するのか、と問われたら、あるとき存在しはじめたからであり、いまだに存在し続けているからだ、と答えることができるのではないでしょうか。そして、「何か」が存在するわけは、どうして存在しはじめたのか、どうして存在しなくならずに存在し続けているのか、という問いをつうじてもとめられるのではないでしょうか。

存在しはじめたわけ

まずは、どうして「何か」が存在しはじめたのか、という問いからもとめてみましょう。

たとえば目の前にボールがあるのは、坂道を転がってきたからだと言えるでしょう。「何か」が存在しているのは、その存在しはじめた**わけ**にあたるものがあるからだと言えます。この存在しはじめたわけにあたるものに**原因**があります。「何か」がなぜ存在しはじめたのかは、なんらかの原因があるからだと言えるのです。

私たちは原因と聞くと、**結果**ということばを一緒に思い起こすでしょう。原因と結果はいつもセットのように扱われますし、通常このふたつを結びつけて**因果関係**と呼ばれます。たとえばボールが坂道を転がり、それが原因となって、目の前にボールが存在するという結果をもたらします。結果の出てくるわけが原因ということです。

ところで、この因果関係には大きな特徴があります。それは**法則性**がある点です。ボールは坂道にあれば、おのずと坂道を下ります。坂道のボールはかならず下るのであって、その日の気分で上ることはありえません。自然法則は、因果関係を示す代表的なものですし、学校でもさまざまな法則を習ったことでしょう。こうした法則に世界が従っているのですから、何かが存在していれば、それを存在させた原因がかならずあり、原因があれば、決まった結果としてかならず何かが存在することになるのです。

因果関係が法則的だということは、原因から結果が**自動的に**出てくることを意味します。それはたとえば機械のようなものです。電源を入れれば、あとは何もしなくても、機械は決められたとおりに動作し、しかも毎回同じ動作をかならず実行します。そして決められた結果をかならずもたらします。機械は法則性を持っており、因果関係に従って動作するものです。

あらゆるものが存在するのに、こうした原因があるのだとすれば、ボールが存在するだけでなく、私たちが存在するのにも、原因があるということになります。また「何か」が目の前に存在し、私たちと出会うのにもまた、原因があるということになります。このように、ありとあらゆるものは、原因があって存在しはじめたのだと言えるのです。

原因の原因

ところで、「何か」の存在には原因があるのだということは、その原因にあたるものも存在していることを意味します。転がってきたボールが存在するとき、そのボールを転がした坂道が原因として存在しています。「何か」の存在には、原因となる存在がかならずともなうのです。

では、その原因となっているものは、どうして存在しているのでしょうか。原因となるものもまた、いつからか存在しはじめたのでしょうから、なんらかの原因があるでしょう。つまり**原因にもまた原因がある**のです。しかも因果関係は法則的ですから、結果から原因へ、そしてその原因からさらにその原因の原因へと、法則的に連なっているのではないでしょうか。

　すると私たちは、そのような原因の原因の原因を遡ってたどることができるはずです。それでは、この原因の原因を遡ってゆくと、最終的にはどこまでたどれるでしょうか。原因にも原因があるわけですから、どこかの原因でおしまい、と決めるのは難しいように思えます。ですから実際にたどるとなると、途方もない労力と時間が必要になるかもしれません。それでもたどってゆくとすれば、どこまで遡ることができるでしょうか。

　この世界に存在するものにははじまりにあたるもの、起源になるものが存在すると一般に言われることがあります。私たち人間も遡れば、生命体の誕生というはじまりまでたどれます。そこには最初の生命が存在していたでしょう。また、私たちのいるこの宇宙にも、ビッグ・バンと呼ばれる誕生の瞬間にまでたどれます。このように、生命体にせよ、宇宙にせよ、その誕生やはじまりのところにまでたどることができます。

　しかし、そのような最初の生命体やビッグ・バンという現象が存在しはじめたのにもまた、原因があるのではないでしょうか。すると、なんらかの誕生やはじまりまでたどれたとしても、さらにその原因をたどれることになります。私たちは、原因を**どこまでもたどれる**のではないでしょうか。それは原因を永遠に、無限にたどれるということですし、**本当のはじまりはない**ということです。そしてそれは、いままで何もないことがなかったということを意味しますし、そうするとこれから先も結果としての「何か」が存在し、ずっと何もないことはない、ということになるでしょう。

しかしながら、本当に原因をどこまでもたどれるのでしょうか。むしろ、生命体や宇宙にはじまりがあるように、あらゆる存在のはじまりがあるかもしれません。これ以上遡ることのできない**本当のはじまりがある**のではないでしょうか。どこまでも遡ることができるとしても、それははじまりとなる存在がないことの証明になるとは限りません。本当のはじまりが存在する可能性は否定できません。どこかで本当のはじまり、**最初の原因**に到達するかもしれないのです。

先ほど因果関係は機械にたとえられました。どんな機械でも、最初に誰かが電源を入れなければ動きません。ですから、あらゆるものが存在しはじめて、因果関係が成立するためには、最初の「電源を入れる」こと、つまり最初の原因が必要です。さもなければ、どうして存在しはじめたのか、なぜ存在するのか、という問いについて、まったく説明できないのではないでしょうか。

ではその「最初の原因」なるものとは、いったいどんなものでしょうか。また、そのような最初の原因が存在するのだとしたら、その原因が存在する以前はどうだったのでしょうか。何も存在しなかったのでしょうか。存在しなかったのならば、どうして存在することになったのでしょうか。それ以前に何か存在していたのだとしたら、最初の原因は最初ではなくなってしまうのではないでしょうか。

存在し続けるわけ

さて、存在しはじめたわけとして原因を問いましたが、あらゆるものが原因によって存在しているのであれば、それは私たちにもあてはまることになります。それでは私たちは、本当に原因があって存在し、因果関係に従って生きているということなのでしょうか。たとえば私たちは、ボールが転がるように坂道を下るのでしょうか。ベルトコンベアで運ぶように食べものをのどに通すのでしょうか。まるで機械のように、私たちは法則的に、自動的に存在しているのでしょうか。

たとえば私たちが食べものをのどに通すのは、たんに自動的に食べているからではなく、空腹を満たすためであり、生存のためです。また目の前にボールが存在するのは、この後に飼いイヌがそれを拾いにくるためかもしれません。このように、「何か」が存在するのは、存在し続けることで、これから先に目指されるべきものがあるためだと言えるでしょう。

「何か」が存在しているのは、存在し続けている**わけ**にあたるものがあるからだ、と言えます。この存在し続けているわけにあたるものに、**目的**があります。「何か」が存在し続けているのは、なんらかの目的を実現するためだと言えるのです。

目的とは、実現するように目指されるべき価値のあるものとして定義することができるでしょう。たとえば「幸福は人生の目的」だとか、「救済は信仰の目的」だとか言われます。もっと身近には、いのちが長らえることや、植物が花を咲かせることも、目的と言えるかもしれません。そしてこのとき、存在しているものは、その目的を実現するための**手段**として位置づけられます。こうして存在し続けている私たちは、幸福や長寿を目指すための手段だという言い方ができるでしょう。また先ほど述べた事例ならば、食事をする私たちは、生存という目的のための手段として存在していると言えますし、目の前にあるボールは、飼いイヌがボールを拾う、という目的のための手段として存在しているとも言えるのです。

ところで、こうした目的を実現するための道筋は、実はひとつとは限りません。目的実現のための手段は、複数ありえます。たとえば、生存のための手段には食事する私たちだけでなく、呼吸する私たちや運動する私たちなど、いくつもあります。幸福になるための生き方は、ひとつに決まっておらず、ひとの数だけあるでしょう。このように、目的を実現するための手段はたくさんありますし、目的のためならば、どのような手段として存在していても、どのような過程を経てもかまわないのです。いまどのように存在しているにしても、いずれその目的へとかならずたどり着きます。

目的と手段の関係は、因果関係とは異なり、そこに法則性があるわけではありません。たとえば植物が発芽して花を咲かせるとき、すべてが法則的に、自動的に生長するのではありません。光のあたり方や養分の加減などによって、伸び方は変わります。けれどもそれらは最終的に花を咲かせます。目的に至るまでの過程はそれぞれ異なりますが、目指すところは同じだと説明できるのです。

究極の目的

それでは、存在し続けているものは、最終的にどんな目的を目指しているのでしょうか。先ほど述べたような生存や開花という目的は、本当のおわりではなく、その後にも続きがあります。開花の後には実をつけるのですから、それがより本当のおわりだと言えるでしょう。しかしその実も地面に落ちてあらたに発芽すれば、次世代の成長のほうが、より本当のおわりだと言えます。続きがある限り、本当に最後である目的にはまだ届いているとは言えません。

では、最後の最後にたどり着く**本当のおわり**、**究極の目的**とはなんでしょうか。最後の最後に実現するものですから、続きがあってはいけません。そのような目的がどんなものか、わかろうと思ったら、実現した後でないと確認できません。しかし実現した後の続きがないのですから、確認できる場面がやって来ません。ですから、究極の目的が具体的にどんなものなのか、本当のところは誰にもわからないのではないでしょうか。

目的は、これから先に実現されるようなものです。目的は未来にあるものです。ですから、いまはまだ、誰もがその目的に至る途中にいます。ある目的が実現したと思っていても、それはまた別の目的の手段であるかもしれませんので、どんなものでも、誰であっても、つねに究極の目的に至る途上にいるのです。しかもそれがどんなものかまったくわかりません。ですから実際のところ、存在する究極の目的があるとしても、それがどんなものかわからないまま目指して向かっているのです。

ではまたして、本当のおわり、究極の目的にたどりつくことなど、ありえるのでしょうか。また先ほど、どんなものかわからないまま、存在し続けているのでしょうか。どんな手段であっても同じ目的が実現されるという話がありました。どんな道筋を通っても、目指されるべき目的にかならず到達します。つまりそれは、**目的があらかじめ決まっている**ことになります。その目的のある未来は、最初から決まっていることにならないでしょうか。存在しているあらゆるものは、抗いようのない目的に従うしかないのでしょうか。

私たちが持っている意志

存在するわけについて、原因と目的からそれぞれ問いました。それはボールのように、なんらかの物体が存在するわけを問うことができます。しかしながら、これは存在するわけを問い続けるための、わずかな手がかりにすぎません。いま述べた話のなかには、疑問を投げ入れる隙がまだまだあるでしょう。

ところで、こうして問おうとしている存在が物体ではなく、私たち人間であるときはどうでしょうか。私たちが存在するわけについてもまた、原因や目的から問うことができるでしょうか。たしかに私たちが存在することについては、物体と同じように問えるような気もします。しかし私たちの実際の行為について、同じように問えるでしょうか。

たとえば私たち人間は、下り坂の途中で転がらずに立ち止まることもできますし、食事のときにも自動的に口のなかに放り込むのではなく、食べるものによって飲み込んだり味わったりすることもできます。そして私たちは、あたりまえのことやふつうのことや常識だとされることを、そのまま受け入れて生きることもできますし、なぜ、どうしてと、立ち留まって問いを投げかけることもできます。

このように私たちは、物体とは異なり、かならずしも因果関係に従って法則的に動くとは限りません。私たちが振る舞い、問い続けることができるのは、私たちが自然法則にしたがって自動的に動いているわけではないのです。

では私たち人間は、なんらかの目的があって、その過程のなかで、手段として振る舞っているのでしょうか。実際のところ、私たちにはその目的が何か、確認しようがありませんが、もしかしたらなんらかの目的に従っているかもしれません。しかし私たちは、たとえ決まった目的にたどり着いてしまうのだとしても、少なくとも私たちの人生のなかでは、自分たちのあり方を自ら決めて、好きなように振る舞うことができます。

すると私たち自身は、原因や目的に従って存在しているだけでなく、何かしようと決断し、実行しようと思うものを自分自身で最終的に選び、そして実際に振る舞っているのように見えます。その限りで私たちは**自発的**に行為し、そのように振る舞おうとする**意志**を持っていると言えるでしょう。私たちはたんに存在し、たんに生きているだけでなく、むしろ自分たちの意志に動機づけられて、何をするのか決断し、選択し、実際に行動するようにして存在しているのではないでしょうか。

しかしながら、私たちの振る舞いが自発的だとしても、それによってなんでも思いどおりにできるとは限りません。自分の意志で空を飛ぼうとしても、私たちは重力に逆らうことができません。また同様に、私たちがあらゆることに問いを投げかけ、知ろうとしても、自分たちの意志だけでは独断に陥ってしまう危険があるでしょう。これらの点を見ると、私たちが自発的に行為できるような意志を持っているのか、疑問に思えてきます。とはいえやはり、私たちが振る舞うのは、因果関係に従ったり、なんらかの目的に向かったりするのとは、何かちがうようにも思えます。

ちなみに、意志があるとか、意志を持っているとか聞くと、心の強さだと思うひともいるかもしれません。周りに振り回されない強さは、たしかに意志を持っていると言えます。しかし意志を持つことは、そのような強さを意味するだけではありません。

たとえば、座ろうとして、実際にイスに腰掛けたり床に座ったりするでしょう。この座ろうというのが私たちの意志であり、どこか座る場所を探して実際に座るのが私たちの行為です。座る場所は、イスであったり床であったり倒木であったり、さまざまにあるでしょう。またイスと言っても、木のイスや鉄のイスなど、さまざまです。さらに、無事に座れることもあれば、難儀して無理やり座ることや、座ったとたんにイスが壊れてしまうこともあるでしょう。このように、実際に座ることは、そのつど状況や結果が変わります。これにたいして、結果として座れなかったとしても、まず座ろうとしてその場所を探す私たちの意志は変わりません。座ろうとする私たちの意志は、状況や結果がどうあれ変わることなく持つことのできるものです。しかも座ろうとする意志は、実際の行為やその結果に先んじて、私たちに備わっています。実際に座れるところがあろうとなかろうと、私たちは座ろうという意志を持つことができます。

このように、私たちが意志を持つことは、実際の状況や結果に左右されることなく、あらかじめ私たちに備わっているという意味もあります。私たち人間は、こうして備わった意志に従って行為する存在だとも言えるのです。

私たちに備わる権利

ところで、私たちが自分自身の意志に従って振る舞うことができるのは、そう振る舞える資格にあたるものが備わっているからです。そのような資格を、**権利**と呼ぶことができます。

たとえば私たちは、何気なくイスに座ります。実はこうして座ることができるのは、私たちが座る権利を備えているからです。イスに座ることくらいはごく当然と思うでしょうが、権利が備わっているので、私たちは場面や状況が異なっても、座ることができるのです。私たちは人間ならば誰しも、権利を備えています。権利を備えているので、私たちは振る舞うことができるのです。

その一方で、仮にボールが意志を持っていて、自ら向きを変えれば、私たちはそれを奇異なことだと思うでしょう。そう思うのは、ボールに自ら向きを変える資格がないからです。つまりボールが自ら向きを変えないのは、因果関係に従っているからだけではなく、奇妙な言い方ですが、ボールに向きを変える権利がないからだとも言えるのです。ですから転がるボールは、自分の意志で転がる向きを変えることができないのです。

もちろん、私たちに権利が備わっているからと、なんでも思うとおりにできるものではありませんし、望みがかならず叶うものでもありません。私たちに座る権利があっても、それはかならず座れることを意味しません。権利があるとしても、それによって望みどおりの結果が約束されることはないのです。ただし、たとえ望みが叶わないとしても、私たちは望みを要求できます。この要求することも権利と呼ぶことができます。

私たちの誰しもが、権利を備えています。私たちが実際に振る舞うとき、もちろんほかのひとたちが同じように振る舞うこともあるでしょう。すると私たちは、ほかの誰かのせいで望んだ結果が阻まれることもありえます。イスに座ろうとしたらほかの誰かに座られてしまい、自分が座れないことはありますし、その逆もあります。ふたりが同時に同じひとつのイスに座ろうとしたらどうでしょうか。つねに自分だけが座れて相手が絶対に座れない、ということはありませんし、その逆もありません。どちらかが座りたいと要求したり、相手に譲ろうとしたり、たがいに譲らずケンカになったり、どちらも座れない結果になったり、さまざまなことがありえます。こうして私たちは、自分たちに座る資格があるのだと要求しています。このとき私たちは、自分たちに備わる権利に気づくのです。こうした誰もが備える権利は、かんたんになくなるものではありませんし、ほかの誰かによって奪われるものでもありません。少なくとも、自分自身が座ろうとしていることだけでなく、相手も座ろうとしていることも、どちらも無視することができません。ですから私たちは、権利があり、要求するとしても、ほかの誰かとの関係をつねに考慮しなければならないでしょう。

私たちはふだん、実際に振る舞う際に、自分自身に備わっている権利を意識することはないでしょう。権利は隠れて目に見えないものですから、ふだんは権利を備えているかどうかわかりません。そしてそれはほかの誰かから見てもわかりません。もしかしたら、権利がなくなってしまっても気づかないかもしれません。

しかし実際に私たちが権利を失うようなことになれば、どうなるでしょうか。そうなれば、私たちは資格を失うことになるのですから、私たちは何も要求できず、何も振る舞えなくなってしまうでしょう。けれどもこのように振る舞うことができなくなっているときにはじめて、私たちに備わっていた権利があることに気づきます。そして自分たちには権利が備わっていることを周りに認めさせようとするでしょう。私たちの権利が周りに認められれば、ふたたび当然のように振る舞えるようになるのです。

したがって私たちの権利は、ふだんはまったく意識されることのないものですが、周りから暗黙のうちに認められているようなものなのです。そして私たちは、こうした権利を備えて行為する存在だと言えるのです。

あらたな問い

私たち人間は、原因や目的だけでは説明できないわけがあって存在しています。私たちは、意志を持って振る舞おうとしますし、こうした振る舞いには権利が備わっています。私たちはこれらにもとづいて行為し、ほかの誰かと関わりながら、実際に生きています。私たちはたんに存在しているのではなく、そこに意志や権利のような、独特の意味合いを持たせているようにも思えます。それはもしかしたら、人間らしさと呼びうるものかもしれません。私たちは、こうして人間らしく生きようとして存在しているのではないでしょうか。

私たちはこれまでの章で、「何か」について疑い、問い続けてきました。それは私たち自身が、何をどこまで本当に知っているると言えるのか、その知ろうとしているものや私たち自身が、どうして存在していると言えるのか、という問題について、哲学してきたと言えます。そしてここまで読み進めてきたことで、私たちは哲学することを追体験してきました。

さて、これからあらたな問いをはじめることになります。つまり、私たちはどのように振る舞うのか、私たちはどのように生きるのかという問いです。これから読み進めてゆくなかで、これらの問いにたいするいくつかの意見が提示されます。それにたいして、今度は自分自身で疑問を持ち、問い続けてみましょう。

参考図書

アリストテレス『形而上学』出隆訳、岩波文庫
アリストテレス『自然学』内山勝利訳、岩波書店
ホッブズ『リヴァイアサン』水田洋訳、岩波文庫
スピノザ『エチカ』畠中尚志訳、岩波文庫
カント『判断力批判』篠田英雄訳、岩波文庫
ヘーゲル『法の哲学　自然法と国家学の要綱』上妻精・佐藤康邦・山田忠彰訳、岩波文庫
ショーペンハウアー『意志と表象としての世界』西尾幹二訳、中央公論新社
ハイデガー『存在と時間』熊野純彦訳、岩波文庫

第Ⅳ部　行為する

第九章　何に従って私たちは行為するのか

赤信号は「停まれ」

外に出かけるとわかりますが、街には交差点があります。交差点には信号機の設置されているところがあります。私たちが安全に生活し、交通事故を防ぐためにも、信号機は大切な役割を果たしています。私たちは信号を守るように教わってきたでしょうし、いまもそれを守っています。ですから、私たちはふだん、わざわざ信号を守らないということはしないでしょう。赤信号なのに車の行き交うなかへと突入するようなまねはしないはずです。

その一方で、交通量のきわめて少ない交差点で、信号が赤から青に変わるのを、ひとりじっと待っていることがあるでしょう。ひとも車も明らかに往来がなく、確実に安全だと思うのに、信号が赤と表示されているからと、律儀に停止している自分自身に、奇妙な感じがしてこないでしょうか。安全だと思うのだから進めそうなものを、自分自身を引き止める何か**見えない力**がはたらいて、まるで進もうとするのを阻んでいるかのような感覚がするのではないでしょうか。その力を振り払って進むのは造作もないことかもしれません。しかしそうするかどうか、悩んだりためらったりするのではないでしょうか。そして、どうして進んではいけないのか、なぜ赤信号で停まっているのかと、疑問に思ってしまうこともあるのではないでしょうか。

しかしこんな疑問を持っても、「赤信号は『停まれ』なのがルールだから、停まるのが当然だし、ルールを守るのが常識だ」と言われてしまうかもしれません。世のなかには、規則や法律などのルールがあって、それを守って生きるのがあたりまえのこと、ふつうのこと、まさに常識です。ルール違反は許されません。

けれども、たとえば待ち合わせ場所に急いでいるのに、往来のない交差点で信号が青に変わるまで待たないといけなかったり、待ったせいで遅刻して叱られてしまったりすることがあります。このように、ルールどおりにはいかない場面に遭遇したり、ルールを守ることでかえって悪い結果になったりした経験はないでしょうか。ですから実際には、単純にルールを守るほうを選ぶとは限りませんし、どの行為を選ぶか迷う場面があります。私たちはどのように行為するか、かんたんには決められないこともあるのではないでしょうか。そしてそのときに、ルールとは異なる何か見えない力が、私たちの行為にはたらいているように感じられるのです。

このように、私たちがどのように振る舞うか、その行為を左右するものがあることに気づくのではないでしょうか。私たちが実際の行為を決めるにあたっては、何かその基準となるものがあるのです。

行為のさまざまな基準

私たちはふだん、なんらかのことを決断し、選択し、そして実際に振る舞っています。食事をしたり、トイレで用を足したり、外へ出かけたり、さまざまなことをしています。このようなとき、私たちは何かの拍子にたまたま振る舞っているのでもなければ、無茶苦茶に、支離滅裂に振る舞っているのでもありません。私たちの行為には、なんらかの**基準**となるものがあって、実際に振る舞うときには、かならずその基準にもとづいて、どのように振る舞うかを決めています。

基準がある、といきなり言われても、まだピンとこないかもしれません。そこで、食事を例として、私たちの行為の基準にどのようなものがあるか見てみましょう。

まず、食べるという行為それ自体は、お腹が空くことでおこなわれます。通常は空腹感とまったく無関係に食べることはしないはずです。つまり私たちは食欲という**本能**や**欲求**に従って食べています。本能や欲求にもとづく行為は、人間に限らず、あらゆる生きものに備わっています。これは自己保存や生存本能に動機づけられて、無意識的で反射的に生じます。これは生きてゆくうえでは欠かせない基準ですが、実際にどの行為にするか、あらかじめ選んで決めておくことはできません。生じた行為を受け入れるか、生じてから抑えるしかありません。ほかの事例としては、「落ちてきた物をとっさによける」とか「眠気に襲われ眠ってしまう」などもあるでしょう。物が落ちてくる前によけようと決めておくことはできませんし、別の行為を選ぶこともできません。また眠ってしまう行為にたいして、私たちは、必死に我慢するしかなく、眠たくなることそのものをやめたり、眠ってしまうこととは別の行為をまったく眠気なしに選んだりはできません。

では私たちは、獲物に向かって跳びかかるように、お腹が空いたら目の前にあるものにかまわず食らいつくでしょうか。好物ならば率先して食べるでしょうが、嫌いなものなら食べないのではないでしょうか。あるいは和食にしようか、洋食にしようか、そのつど食べたいほうを選ぶでしょう。私たちは、ただ食べるのでなく、何を食べるか選びます。そしてその選択は、好き嫌いや気分でそのつど変わるでしょう。私たちはこのとき、**好み**や**趣味**という基準に従っているのです。好みや趣味という基準は、好き嫌いや快不快や美醜などによって決められるものです。どのような行為が選ばれるかはそのつど異なり、そこにはつねに選択の余地があります。つまり決められた行為を選ばなければならないのではないし、選んでいけないこともありません。その行為を選択しても選択しなくてもかまわないのです。

それでは私たちは、目の前にある食べたいものに食らいつくでしょうか。食べたいものを欲求のままに食べれば、行儀が悪いと周りの大人から叱られるでしょう。周りに誰もいなくても、たとえば顔を突っ込んでむさぼるようなことはしないのではないでしょうか。私たちは、そのような食べ方をためらって、かならず箸や皿などを使って食べるにちがいありません。私たちは、箸を使うか、そのまま顔を突っ込んでむさぼるか、どちらにしようかと迷うことはないでしょうし、おのずと箸を手にするはずです。このとき私たちは、食事のときは食器を使って、行儀よく食べるべきだという**道徳・倫理**に従っているのです。

このように、私たちが食事をするときには、なんらかの基準に従って行為を決めていることがわかるでしょう。

道徳・倫理という基準

ところで、「道徳」や「倫理」ということばは、学校の授業として聞いたことがあるでしょう。道徳や倫理の授業では、さまざまなエピソードを読み、正解のわからないような問題について話し合ったのではないでしょうか。このとき問われていたのが、私たちの振る舞う仕方であり、それが道徳・倫理でした。（なお道徳と倫理ということばは、厳密に言えば、誰がどのように定義し、解釈するかによって、意味にちがいも出てきます。本書では、道徳も倫理も、同じような意味のことばとして解釈し、道徳・倫理と併記しておきます。ちなみに、道徳（モラル）はラテン語、倫理（エシックス）はギリシャ語に由来しています。）

では、道徳・倫理とはなんでしょうか。道徳・倫理とは、**誰もが有無を言わさず従って行動しなければならない基準**のことですし、**誰にとってもあてはまるような行為の基準**のことだと言えるでしょうか。それは私たちの行為に強制力を与えます。ですから、その基準に従った行為をかならず実行しなければなりません。それはたとえば「盗んではいけない」とか「順番を抜かしてはならない」とか「正直でなければならない」などのように、私たちに命じる言い方で表現されます。「強制力」や「命じる」ということばがあると、ネガティヴな印象を受けるかもしれません。しかし私たちの行為には、選択の余地なくかならずおこなうことがあります。私たちは道徳・倫理にもとづいて、**すべきことを**

実行し、すべきでないことを実行しないのです。好むと好まざるとにかかわらず、私たちにとってその行為をすべきであるし、しなければなりません。また逆に、私たちにとってすべきでない行為、してはならない行為もあるのです。つまり道徳・倫理にもとづいて実行する行為、実行しない行為には、必然性があるのです。

私たちの行為はなんらかの基準に従いますが、ひとつの基準だけに従うとは限りません。本能や欲求、好みや趣味、道徳・倫理が組み合わされて決まることもあります。

ここでは別の事例を見てみましょう。私たちはふだん、トイレで用を足します。この用便という行為の場合、それ自体は便意という本能や欲求に従っています。ただし、私たちは便意があるからと、その場で用を足すことはしません。実際に私たちは、たんに本能や欲求のままに用便するのではなく、かならずトイレに行って用を足しています。これは私たちが、トイレで用を足さなければならないという道徳・倫理に従っているからです。このとき私たちは、「トイレで用便しなければならない」と意識することなく、迷わずトイレに向かうでしょう。逆に、トイレに向かわずにその場で用を足せと言われたら、ためらうでしょう。私たちは身についている道徳・倫理に従って、ためらいなく実行に移しているのです。自宅のトイレであればこれだけでしょうが、駅やデパートなどにある公衆トイレであれば、用を足す場所がいくつもあり、そのなかから私たちは、任意の場所を選ぶことになります。奥を使うか手前を使うか、どちらでもかまいません。あるいは、嫌だと思う場所は選ばないでしょう。どの場所で用を足すのか、私たちは自分の好みや趣味で選べます。

このように、用便というひとつの行為を見ても、複数の基準に従っていることがわかるでしょう。

道徳・倫理は身につくもの

私たちの行為を決める基準について、大きくいくつかに分類しましたが、このうち本能や欲求は、人間だけでなく、どんな生きものにも備わります。また好みや趣味という基準についても、個体によって食べるものの好き嫌いにちがいが生まれるなど、人間以外の生きものにもあります。

これにたいして道徳・倫理は、とくに人間に見られます。たとえば多くの動物は、空腹になれば獲物を探して食べ、食べたくないものは食べません。また便意があれば、その場で用を足します。これにたいして人間は、どれだけ空腹でも、授業中や仕事中ならば食べるのを我慢しますし、嫌いなものでも「健康や美容のためだ」と言って無理にでも食べます。また、どれだけ漏れそうでも我慢してトイレに駆け込みます。これらは人間に特有の行為だと言えるでしょう。

ところで先ほど、私たち人間はかならずトイレで用を足すという話がありました。しかしながら、それにあてはまらないひとたちがいます。それは赤ちゃんのような幼い子どもです。その子たちは便意があれば、その場で用を足してしまいます。ところがだんだんと成長すると、トイレで用を足せるようになります。それはどうしてでしょうか。もちろん、放っておいて勝手にできるようになるわけではありません。その子たちは、周りの大人たちから、トイレで用を足すように教えられたからです。その結果として、成長した私たちは、トイレで用を足すことが習慣となり、当然のことのようにトイレに向かうのです。

このことからわかるのは、私たち人間は道徳・倫理を生まれながらに備えているのではないということです。私たちは、道徳・倫理を教わり、それを習慣とすることで身につけるのです。こうやって身につけさせる方法を、**しつけ**と呼びます。つまり私たちが道徳・倫理にもとづいて振る舞うようになるには、しつけによる教育が必要なのです。しつけられているからこそ、私たちは習慣として自然と振る舞うようになり、かならず実行するのです。このような点からしても、道徳・倫理は、本能や欲求とも異なりますし、好みや趣味という基準とも異なるのです。

ちなみに、飼いイヌや飼いネコなどもしつけられて、トイレで用を足し、待てと言われて我慢することがあります。しかしそのしつけをおこなっているのは人間です。人間社会のなかで生きるのに、イヌやネコたちはしつけられているのです。

道徳・倫理には意味がある

ところで、空腹で食べるとき、あるいは好物を食べるときに、私たちは望みどおりのことを実行できています。ところが、それらの行為にブレーキをかけて、我慢したり、嫌いなものを無理して食べたりするように、別の行動をとる場合があります。そこには、元々実行しようとしたことをためらわせ、行動を変えさせる力があります。そしてこれで行動を変えなかった場合に後悔させる力がありまず。この力がはたらくことで、私たちは行儀よく食べ、トイレに向かうようになるのです。しかもこうした力がはたらいているのを、ふだんの私たちはとくに気にすることはないでしょうし、そのためらいによって行動が変わったことに違和感を覚えることもないでしょう。

この力の正体は、私たちの道徳心・倫理観であり、道徳・倫理を身につけた私たち自身から生じるはたらきです。私たちが行儀よく食べ、トイレで用を足すようになるのは、道徳・倫理によって私たちが自分の本能や欲求にブレーキをかけ、抑制しているからなのです。逆に道徳・倫理を身につけていなければ、私たちは本能や欲求のままに振る舞い、手や顔が汚れてもかまうことなく食べ、その場で用を足すことになるでしょう。

では、私たちはしつけられさえすれば道徳・倫理にもとづいて振る舞えるようになるかと言えば、かならずしもそうとは限りません。しつけられて習慣となっているだけでは、それがそのまま道徳・倫理とはならないのです。

たとえば私たちは、しつけをつうじて、行儀よく食べる、トイレで用を足す、ほかの誰かの持ちものを勝手に持ち去らない、順番を守る、嘘をつかないなどの、さまざまな道徳・倫理を身につけて習慣としています。では行儀よく食べることにどういう意味があるのか、トイレで用を足すことにどういう意味があるのか、などと聞かれたら、その意味をきちんと説明できるでしょうか。また、どうして順番を守らなければならないのか、どうして嘘をついてはいけないのか、などと聞かれたら、誰もが納得するわけをきちんと答えることができるでしょうか。

道徳・倫理は、選択の余地なくかならず実行する基準ですし、それに私たちは有無を言わさず従います。ふだんの私たちは、それを習慣として実行しています。私たちが意味もわからないまま、しつけられた道徳・倫理に従っているのだとすれば、それでは誰かからの命令にただただ服従するのと変わりません。しかし道徳・倫理は、たんなる命令ではありません。私たちは、道徳・倫理の**意味**がわかってはじめて、本当に道徳・倫理にもとづいて行為していると言えます。言い換えれば、私たちは道徳・倫理の意味をわかっていなければ、いくらしつけられ、習慣となっていても、道徳・倫理を本当に身につけているとは言えないのではないでしょうか。

先ほど、飼いイヌや飼いネコのしつけについて触れましたが、人間がしつけられるのと決定的に異なるのが、この道徳・倫理の意味をわかっているかどうかという点です。イヌやネコは、用を足す場所や「待て」と言われて我慢することを習慣づけられていますが、そうすることの意味をわかっているわけではないでしょう。少なくとも、イヌやネコ自身がその意味を説明することはできません。

これにたいして私たち人間は、しつけられている意味を理解することができます。ただし実際のところ、私たちはどれだけその意味を理解したうえで、しつけられたことに従って振る舞っているでしょうか。意味がわからなければ、それはたんに命令に服従し、無理強いされているのと同じです。誰であれ、わけもわからず無理強いされるのは嫌なことです。ですからこのような場合に、道徳・倫理に従うことを嫌だと感じ、それを強制されていると思うひとは、そこから逃れて振る舞おうとするでしょう。こうして一般に、道徳・倫理に反するひとが出てくるのです。そのようなひとは、道徳・倫理を本当に身につけていることにならないでしょう。ですから、道徳・倫理に反しているひとには、その道徳・倫理の意味を理解させなければならないのです。

ルールは行為の基準ではないのか

さて、先ほどの信号の事例でルール（規則、法律）について触れました。行為の基準となるものとして、このルールのことを忘れてはいないかと思うかもしれません。たとえば、ほかの誰かのものを勝手に持ち去れば、窃盗罪に問われ、有罪になれば相応の処罰を受けます。これはルール違反にあたりますから、私たちは違反しないようにするでしょう。それでほかの誰かのものを持ち去らなくなるのであれば、ルールが私たちの行為の基準になっているように思えます。また私たちは、ルールによって本能や欲求にブレーキをかけることもできるのではないでしょうか。たとえば、お店に欲しいものがあっても、盗んだら捕まってしまうと思って、盗まずにいられます。

このようなルールのはたらきを見ると、ルールは道徳・倫理と同じようなものだと思えてきます。ですから、道徳・倫理とルールは、混同されることも多いです。しかしこの両者はまったくちがうものです。

一方の道徳・倫理は、しつけられて私たちの身につき、私たちの行為を直接的に左右するものです。他方でルールは、規則や法律のように所定の手続きを経て決められ、私たちの行為の可能な範囲を定めて明文化されたものです。それは私たちの行為の不可能な範囲を表していることにもなりますから、ルールは私たちの行為の限界を示したものだと言えます。ルールは、まるで私たちの前に引かれている目に見えない境界線のようなものであって、その範囲内で私たちは振る舞うことができますが、境界線を踏み越えてしまうような行為をすれば、ルールを違反したと言われるのです。

ちなみに道徳・倫理も命じる言い方で表現されますので、ルールと同じように明文化されていると思われるかもしれません。しかし実際のところ、道徳・倫理は、あくまで私たちの身についているものであって、命じる言い方はそれを言い表しているにすぎません。

ここでこのような区別をしているのにはわけがあります。私たちの行為は、道徳・倫理にもとづいて決まることはあっても、ルールによって直接決まることはないからです。しかし私たちはふだん、ルールがあればそれにそのまま従って行為をしていると思っているのではないでしょうか。

たとえば、学校で「廊下を走るな」と言われることがあります。あるいはふだんから、「ルールを守って行動する」ようにもとめられることがあります。ですから私たちは、ルールを守っていつも行動していると、つまりルールに従って行動していると思っているかもしれません。しかしながら、私たちはルールに従って行動しているのではありません。むしろ本当のところは、**道徳・倫理に従って行動している**のです。先ほどの「ルールを守って行動する」というのは、実際には、ルールに従って行動しているのではなくて、「ルールを守らなければならない」という道徳・倫理に従って行動することなのです。私たちが廊下を走らないのは、「廊下を走るな」というルールを守らなければならないと思っているからですし、その守らなければならないという道徳・倫理に従っているからなのです。

赤信号で停まるべきなのは

いま、信号機は赤を表示しています。赤信号は「停まれ」なのがルールです。このまま進めば、それはルール違反になり、罪を問われます。では、赤信号を前にして、停止するのか、そのまま進むのか、私たちは何に従って決めるでしょうか。たとえば進まず停止したとします。どうして停止したのでしょうか。きっと「信号が赤だから」と答えるでしょう。ですから私たちはルールに従って行為を決めたのだと思うにちがいありません。

それでは、もし本当にルールに従っているのだとすればどうなるでしょうか。その場合に私たちは、赤信号を前に、自動的に全員停止するはずです。赤信号は「停まれ」というルールに従うのですから。

しかし実際の場面を思い出してみましょう。赤信号で、そのように自動的に全員が停止しているでしょうか。どうしても急いでいるときや、まったくひとや車の往来がないときも、いままで毎回かならず停止してきたと言い切れるでしょうか（もちろん停止しないことを推奨しているわけではありません）。むしろ私たちは赤信号を前にして、停止するだけでなく、来た道を引き返すこともできるし、別の道を選ぶこともできるし、場合によっては（もちろん推奨していませんが）信号を無視して進むこともできてしまいます。私たちは、世のなかのルールをすべて把握しているわけではありません。私たちが本当にルールに従って行為するには、すべてのルールを暗記でもしておかないといけなくなるでしょう。

私たちは、ルールにそのまま従って振る舞っているのではなく、それとは異なる行為をすることができます。その行為は、赤信号のようなルールとは別のものに従っているからだと言えるのではないでしょうか。

参考図書

プラトン『国家』藤沢令夫訳、岩波文庫
アリストテレス『ニコマコス倫理学』高田三郎訳、岩波文庫
カント『道徳形而上学原論』篠田英雄訳、岩波文庫
カント『啓蒙とは何か　他四篇』篠田英雄訳、岩波文庫

第一〇章　何が「善い」と言えるのか

赤信号で停まるべきなのに

私たちは、交差点で赤信号ならば停まります。赤信号は「停まれ」なのがルールです。私たちはそのルールを守っています。ルールを守らなくてもかまわないことはありませんし、誰もがルールを守るべきです。

では私たちは、すべてのルールを守っているでしょうか。「これまで一度もルール違反をせずに生きてきた」と断言できるでしょうか。断言できるならば「これから先もずっと違反せずに生きるのだ」と言い切れるでしょうか。

私たちは、全員ルールを守っているでしょうか。もちろん誰もがルールを守るべきですが、実際のところ、世のなかにはルールを守らないひとがいます。たまたま信号を見落としてしまった、ということもあるかもしれませんが、赤信号だとわかっていて無視することもあります。ルールを守るのが当然なのに、わざわざルールに違反して信号無視するというのはおかしな話です。これはとても奇妙なことではないでしょうか。誰もがルールを守るべきですから信号にも従うはずなのに、どうして赤信号で停まらないひとがいるのでしょうか。

私たちの言う「よい」

私たちには、行為を決めるさまざまな基準があります。そのなかでも道徳・倫理は、とくに私たち人間に見られる基準だと言えるでしょう。これは誰もが有無を言わさず従って行動しなければならない基準、誰にとってもあてはまるような行為の基準です。誰もがすべきことを実行し、すべきでないことを実行しない基準だとも言えます。

ところで、道徳・倫理に従って実行された行為にたいして、私たちは**善**という価値を認めます。たとえば誰かを助けたり、家でお手伝いしたりすると、それらは「**善い行い**」だと言われて褒められます。このときの「善い」が、善という価値を意味します。赤信号で停止する場合であれば、「ルールを守らなければならない」という道徳・倫理に従って行為しているのですから、これも善い行いなのです。

これとは逆に、道徳・倫理に従わないこと、道徳・倫理に反する行為は**悪**と呼ばれます。たとえば「ルールを守らなければならない」という道徳・倫理に従わなければルール違反であり、**悪い行い**なのです。

ここで「善い」とことばを使いましたが、この漢字をあてることには、あまりなじみがないかもしれません。私たちはふだんから「よい」ということばをさまざまな場面で使っています。しかしその場面によっては、「よい」ということばの指している意味が異なっています。ほかの意味から区別するために「善い」と表記しましたが、ここで「よい」という日本語について少し整理しておきましょう。

　私たちは、日常的に「よい」とか「いい」とかいうことばを使うでしょう。たとえば「スーパーでいい肉を買う」「あの大工は腕がよい」「このひとは頭がよい」「音楽はジャズがよい」「それを聞いて気分がよい」など、さまざまな場面で「よい」とか「いい」とか使います。これらが「ルールを守るのは善い行いだ」と言うときの「善い」と、意味がちがうのはわかるでしょうか。肉のよさや腕のよさや頭のよさはどれも、その性質がすぐれているさまを表しています。つまり質的な優劣を表すのに「よい」ということばが使われています。またジャズがよいというのは、それが好きだ、好みだ、ということを表しています。そして気分がよいというのは、爽快感を表しています。このふたつの場合には、好き嫌いや快不快の感情を表すのに「よい」ということばが使われています。さらに、ここでは例示していませんが、ほかにも適切さや許可や都合などを表す場合にも、「よい」ということばが使われています。

　以上のような「よい」とちがって、道徳・倫理における「善い」は、行為にともなってくる価値を表しています。むさぼり食べるのでなく食器を使って食べたり、その場でなくトイレで用を足したりする行為は、それ自体で実行すべき行為ですから、善い行いと呼ばれています。また、親切心でお手伝いをしたり、周りから褒められるような貢献をしたりするなど、その動機や結果が望ましい行為も、善い行いと呼ばれています。

このように、「よい」ということばは多くの意味で使われているのがわかります。けれどもそれは見方を変えれば、「よい」の意味が時としてあいまいになりうる、ということでもあります。では、こうしたさまざまな「よい」を、私たちはふだんからきちんと区別して理解しているでしょうか。

たとえば「箸を使って食べるのがよい」の場合、それは行儀のよさのことですから、道徳・倫理に従った行為だと言えますが、箸を使って食べるのが好きだという意味でも理解できます。この事例では、実質的にはどちらであっても問題がないかもしれません。しかし道徳・倫理と、好みや趣味という基準では、意味がまったく異なります。

すでに述べたように、道徳・倫理の場合には、誰もがすべきことを実行し、すべきでないことを実行しません。そこに選択の余地はありません。食事で箸を使わず顔から突っ込んでむさぼり食べれば、周りの大人から行儀が悪いと叱られるでしょう。

その一方で、好みや趣味という基準の場合には、それぞれの個人の好き嫌いによって、選ばれる行為が異なってきます。食事のときに箸を使うかスプーンを使うか選ぶのが、それにあたります。スプーンでなく箸を使ったとしても、それで叱られることはないでしょう。ひとによって好みがちがい、誰もが同じものを好きだということはありません。

自分自身が好きなことは、ほかのひとも好きだとは限りません。ところが私たちは、すべきことも好きなことも同じように「よい」と言ってしまいます。ですから、好きなことをすべきことと混同して理解してしまうと、特定の好みを誰もが共有しなければならなくなります。あるいは誰かの好みを多くのひとに押しつけることになりかねません。しかし実際のところ私たちは、好みとすべきことをあいまいに理解したまま、「よい」と言ってしまうことはないでしょうか。

悪い行いをするのは

さて、ふだん私たちは、食事のときに箸を使うか、顔を突っ込んでむさぼるか、と迷うことはありませんし、便意を催して、トイレで用を足そうかどうか迷うこともありません。またルールを守ろうかどうか、わざわざ悩むこともありません。私たちは道徳・倫理に従えば、誰もが選択の余地なく有無を言わさず実行していますし、それが善い行いです。このように誰もが実行するということは、身につけた道徳・倫理に背いた行為を誰も実行しないということを意味します。誰もがすべきことが道徳・倫理ですから、それに従わないわけがありません。

それならば、私たちは、すべきことを実行せず、すべきでないことを実行するなど、ありえないのではないでしょうか。人間は悪い行いをするはずがなく、善い行いしかしないのではないでしょうか。

このような言い方をすると、性善説（孟子が唱えた、人間は善への可能性、萌芽を備えており、本性的に善であるという説）を唱えたいのか、と思われるかもしれませんが、そうではありません。私たちは、行儀よく食べたり、トイレで用を足したりするように、道徳・倫理を身につけていれば、選択の余地なく行為するはずではないか、そうした行為を善い行いだと呼ぶのではないか、ということです。善い行いを私たちはこうやってかならず実行するのですから、悪い行いをするのはありえないのではないでしょうか。

ところが、現実に目を向けると、悪い行いをするひとはいます。そのようなひとがいるのは当然だと思うかもしれません。しかしながら、顔を突っ込んで食べたり、その場で用を足そうとしたりするひとがいたら、それを当然だとは言えないのではないでしょうか。かならず実行していることを実行しないのは、やはりおかしなことです。ですから、ルールを守らなければならないのに、守らないひとがいるのも、本当はとても奇妙なことではないでしょうか。誰もがルールを守らなければ、ルールが存在する意味もなくなってしまいます。

それでは、悪い行いをするのは、なぜなのでしょうか。

信号無視が悪い行いなのは、当然だと思うでしょう。なぜなら信号無視は、「ルールを守らなければならない」という道徳・倫理に反しているからです。ですから私たちはふだん、信号無視をせず、赤信号ならば停まるのです。これが善い行いです。けれども実際には、信号を無視するひとがいます。

そもそもルールをわかっていなければ、信号を無視してしまうことはありえるでしょう。たとえばもしかしたら、信号が赤と表示されていることに気づかないまま、路上に転がったボールをとっさに拾い上げに行ったのかもしれません。本人には、ルール違反をした、悪い行いをしたという自覚はないでしょう。むしろ本人は、よかれと思ってボールを拾いに行っています。つまり本人は、すべきことを実行しなかった、すべきでないことを実行したとは思っていません。むしろすべきことを実行し、すべきでないことを実行しなかったと思っています。この場合は、悪い行いをするつもりがなかったが、悪い行いをしてしまったのであり、わざとしたのではなかったのです。これは過失と呼べるでしょう。

過失ならば、その行為が悪い行いだというのは、きっと周りから指摘されてはじめて気づくことでしょう。このようなひとに、なぜ悪い行いをしたのかと問いかけても、答えは出てきません。また、幼い子どものように、道徳・倫理をまだ十分に身につけていなければ、同じように信号を無視してしまうことがあります。信号がどのように表示されていようとも、おかまいなしに進んでしまうでしょう。ただし、これは善悪以前の話です。

では、ルールをわかっていて、信号を無視した場合はどうでしょうか。本人は、それがルール違反だ、悪い行いだと承知のうえで、悪い行いを実行しています。これはわざとしていることですから、故意と呼べるでしょう。なぜあえて信号無視をするのでしょうか。そのひとも、赤信号で進めば信号無視でルール違反だとわかっているはずです。それにもかかわらず進んでしまうのはどうしてなのでしょうか。

もしかしたら、遅刻しそうで急がなければならないのかもしれません。あるいは便意を催していて、交差点の向こうのトイレに駆け込まなければならないかもしれません。あるいはまた、路上で誰かが倒れていたり車に轢かれそうになっていたりしているかもしれません。そのようなとき、信号が赤から青に変わるのを律儀に待てないでしょう。

では、そのように赤信号でも進んでしまうのはどうしてでしょうか。有無を言わさず従うはずの道徳・倫理を覆すほどの基準とは、いったいなんでしょうか。

従うべき道徳・倫理を覆してしまうほどの基準のひとつには、ほかでもない、道徳・倫理があるのではないでしょうか。しかも「ルールを守らなければならない」とは別の道徳・倫理ではないでしょうか。それはたとえば「遅刻してはいけない」「トイレで用を足さなければならない」「いのちを大切にすべき」などの道徳・倫理です。これらに従うからこそ、信号を無視してはいけないのをわかっていながら、赤信号でも停まらないのではないでしょうか。

そもそも私たちは、さまざまな道徳・倫理を身につけています。そしてそれぞれの行為に際して、いずれかの道徳・倫理にもとづいて実行しています。しかしながら、同じ道徳・倫理に従っていても異なる行為になることはあるでしょうし、異なる道徳・倫理に従っていて同じ行為になることもあるでしょう。また、ひとつの道徳・倫理で複数の行為を実行することもあるでしょうし、複数の道徳・倫理に従ってひとつの行為を実行することもあるでしょう。それらの道徳・倫理に優先順位があるわけではないですし、どれも同じくらい従うべきものです。ルールを守ることも、遅刻をしないことも、トイレで用を足すことも、いのちを大切にすることも、いずれも善い行いです。

ところが、行為を決めるときに、**私たちのなかに複数の道徳・倫理が同時に登場**し、それらをすべて選べず、いずれかひとつを基準として選ばなければならない場面があります。選択の余地なく従うべき道徳・倫理が複数登場することで、私たちは、そのなかから道徳・倫理をひとつ選択せざるをえなくなるときがあります。

先ほど述べたように、信号が赤であるときに、遅刻しないようにしたり、トイレに向かおうとしたり、路上の誰かを助けようとすれば、私たちのなかに道徳・倫理が複数同時に出てきます。そして遅刻をしてはならない、トイレで用を足さなければならない、いのちを大切にすべきという道徳・倫理に従えば、信号を無視することになるでしょう。

こうして選ばれた行為は、道徳・倫理に従ってすべきことを実行し、すべきでないことを実行していないことになりますから、信号無視は善い行いだ、ということになるでしょう。そもそも信号無視は悪い行いであるはずなのに、善い行いとなってしまうのです。

行為の善悪を決めるのは

「信号無視が善い行いだ」と言われると、それには承服しがたいかもしれません。どんなわけがあっても、信号無視は善い行いであるはずがなく、ルール違反は悪い行いだと思うでしょう。では、信号を無視する行為、ルールを守らない行為は、本当に善い行いなのでしょうか。あるいはやはり悪い行いなのでしょうか。

このような問いが出てくるときに注目しておかなければならないことがあります。それは、行為の善悪を**誰が決めているのか**ということです。

「遅刻してはならないから、トイレで用を足すべきだから、あるいはいのちを大切にすべきだから、信号を無視するのは善い行いだ」と決めているのは誰でしょうか。それは実際に信号を無視したひと、つまり行為した本人ではないでしょうか。

その一方で、私たちはふだん、信号無視するひとを見て「善い行いだ」とは言いません。ですから、行為した本人が善いと思っていても、私たちはそれに異を唱え、悪い行いだと思うのです。このとき「信号を無視するのは悪い行いだ」と決めるのは周りの私たちであって、行為した本人ではありません。

行為の善悪を決める際には、誰が決めるかによって、善い行いか悪い行いか、変わってくるのです。同じ行為でも、その善悪は行為者本人と周りの人間で異なることがあるのです。これは過失の場合にもあてはまります。行為者本人には悪い行いをしようとしていませんが、それを「悪い」と決めているのは、指摘する周りの人間です。

このように、行為の善悪はひとによって異なってきます。そしてそれは、**身につけている道徳・倫理がひとによって異なる**ことも意味するのです。

私たちは、どんな行為を実行するにしても、自分自身にとって善い行いを実行します。別の言い方からすれば、行為する本人は、周りからどのように見られても、誰であれ、実際に行為を決めるときには、すべきでないことを実行せず、すべきことを実行します。その一方で、悪い行いとは、すべきことを、有無を言わせず実行せず、すべきでないことを、有無を言わさず実行することですが、行為する本人にとっては、そもそもそのようなこと自体、やはり不可能なのではないでしょうか。もちろん、なかには悪い行いをあえて実行するひともいるでしょう。しかしたとえば、これまでしてはならないとされていたタブーにメスを入れて、世のなかを改める行為があります。元々はしてはならないことをしているのですから、悪い行いをしたことになりますが、それで世のなかが住みやすくなれば、その行為は結果として善い行いとなるでしょう。いずれにしても、私たちは善い行いをかならず実行していることになるのではないでしょうか。

ひとつでない道徳・倫理

すでに述べたように、道徳・倫理は、私たちのなかでひとつだけあるとは限りません。ある行為を実行しようとして、複数の道徳・倫理が同時に出てくることがあります。私たちは、それらの道徳・倫理のうちどれかを選択しなければならない場面があるのです。どれを選ぶのが正解、と一律に決まっているわけではなく、その場面ごとに選ぶべき道徳・倫理は異なるでしょう。しかも、その行為の善悪は、誰が決めるかによって変わります。それは身につけている道徳・倫理が異なるからです。私たちはそのつど、複数のひとで、さまざまな道徳・倫理のなかから、より善いと思う道徳・倫理にもとづいて、行為しなければならないのです。

たとえば世のなかには、理不尽だと思われるルールが少なからずあります。もちろん当初は何かわけがあって定められたのかもしれませんが、次第に時代や状況にそぐわなくなり、それに私たちが納得できなくなることもあるでしょう。納得できない理不尽なルールを守っても、かえって問題が起きたり、場合によっては身の危険にさらされたりするかもしれません。そうなるくらいならば、そのようなルールなど無視してしまうほうが、安心して生きられるのではないでしょうか。このようなときに、ルールを守るべきという道徳・倫理に従うのはおかしいでしょう。

けれども、ルールを無視してかまわないことになれば、誰もルールを守らなくなり、ルールが存在する意味もなくなってしまいます。ですから、ルールを守るべきという道徳・倫理には従うべきでしょう。

とはいえ、実状にそぐわない理不尽なルールならばすでに意味がなく、むしろそれを守ろうとすることも意味がないのではないでしょうか。私たちは、あくまでルールを守るべきなのか、安心して生きられるように、いのちを大切にすべきなのか、選ばなければならなくなるのです。

このような事例では、道徳・倫理を身につけている私たちが、ほかの誰かとともに、さまざまな道徳・倫理から、ひとつの行為を決めなければならないことがあります。ひとによって、場面によって、時代や地域によって、実際に決まる行為はそのつど異なるでしょう。では、私たちの道徳・倫理は、このように異なってしまうものなのでしょうか。道徳・倫理は「ひとそれぞれ」なのでしょうか。

道徳・倫理が同時に複数登場したときに、自分自身の行為を決めるだけならばまだしも、基準の異なるひとたちとの間でひとつの行為を決めるのは、きわめて難しいです。私たち自身もほかのひとたちも、同じように善いと納得できれば問題ないのですが、実際にはそうなるとは限りません。もちろん、どのような行為を実行するか、おたがいに話し合って意見をまとめることができるならまだしも、いつもそれでうまくゆくとは限りません。最終的に決めたことに納得するひともいれば、納得できないひともいるでしょう。その決めたことが善い行いであるはずなのに、納得できない「善い行い」があることになります。相手や周りの言う「善い行い」に納得できないとき、自分自身の思う「善い行い」のほうが、本当の善い行いだと思うでしょう。そして相手や周りも、同じように自分たちのほうが本当の善い行いだと思うでしょう。こうしておたがいが相手の「善い行い」に納得できなければ、それぞれで主張する「善い行い」が対立し、意見が衝突することになります。こうなると、いったい何が善い行いなのかわからなくなります。

善い行いが「ひとそれぞれ」になり、かんたんには決められなくなってしまうのには、行為を決めることと自体にともなう困難もあります。

実は、私たちが実行すべき行為を決めるときには、現在のことだけでなく、未来のことも含まれています。たとえば、席を譲って感謝されれば善い行いだったということになるでしょうし、怒られれば譲らなければよかった、譲るのは悪い行いだった、ということになるでしょう。けれども席を譲るという行為を決めるときには、相手が感謝するか怒り出すかはわかりません。そうした相手の反応は、行為を決めるときには未来の出来事だからです。それでも私たちは、起こりうる未来のことをあらかじめ予想して、自分自身の振る舞いを決めなければならないのです。どうなるかわからない未来のことを考慮せざるを得ない以上、たとえ選択の余地がなくても、道徳・倫理に従うことにためらいが生じるでしょうし、それが複数あっても、かならずこれを選べばよいと、ひとつには決められないのです。

それでも赤信号で停まるべきなのは

善い行いには選択肢の生じることがあるので、どれが本当の善い行いなのか、一律に決めるのは容易なことではありません。とはいえ、いずれかの道徳・倫理にもとづいて行為を決めなければ、私たちは何もできなくなってしまいます。そのようなかんたんに決められない場面では、善い行いは「ひとそれぞれ」だと思いたくなる誘惑に駆られるかもしれません。それぞれのひとが、周りからどのように思われても、そのとき自分自身で善いと思うことを実行しようとするでしょう。けれども、これによって個々人が自分自身の「善い行い」に固執しても、それはあくまで自分自身にしか通用しないものです。それは相手や周りからすれば、身勝手な振る舞いにしか見えません。それだと世のなかは、個々人の身勝手な行為にあふれることになるでしょう。しかしながら、ひとによって通用したりしなかったりするような「善い行い」は、独りよがりの善にすぎません。これは**独善**と呼ばれ、本当の意味での善い行いだとは言えないのです。

そもそも私たちの行為は、自分自身だけでなく、周りにもかならず影響を与えます。何もしないでじっとしていれば影響を与えないのではないか、と思うひともいるかもしれませんが、じっとしていればその場をほかの誰かは使えませんし、何もしなければ代わりにほかの誰かが何かをすることになるでしょう。ですから結局周りに影響を与えます。私たちが道徳・倫理にもとづいて行為すること、つまり私たちが善い行いをすることは、行為する当の本人だけの問題におさまらず、周りとの関係をかならず考慮しなければならないでしょう。

そうなると、本当の意味での善い行いとは、自分だけが善いと思うだけでなく、それを**ほかのひとも同じように善いと思えるもの**でなければならないのです。つまり善い行いとは、つねに**他者と共有されているもの**であり、自分自身だけでなく、**誰にとっても**善い行いではないでしょうか。

自分自身だけでなく、ほかのひとも同じように実行するものならば、誰だってそのように振る舞うものだよね、と納得できます。私たちが思う善い行いは、（全員ではないにせよ）ほかのひとも同じように善い行いであると思えるものでなければならないし、そうなることを目指さなければならないのです。

ただし私たちは、自分自身の思う善い行いを拡張して、ほかのひとにあてはめてしまいがちです。しかしそれは、独善を他者に押しつけていることに変わりありませんし、それでは本当の意味で善い行いとは呼べません。誰にとっても善い行いと、拡張された独善は、区別されないといけないでしょう。

私たちが赤信号で停まるべきなのは、たんに自分自身が善い行いだと思っているからではなく、「ルールを守らなければならない」という道徳・倫理をほかのひとと共有しているからです。それは誰であれ従うべき道徳・倫理だということです。別の道徳・倫理に従って信号無視しようとしたときに、私たちにそれをためらわせる気持ち、引き止める気持ちが出てくるのは、誰にとっても善いと思える道徳・倫理を私たちが身につけているからです。ですから私たちは、たとえ信号無視せざるを得ない場面があるとしても、それを後悔する気持ちになるでしょうし、これからも赤信号で停まろうとするのではないでしょうか。

参考図書

プラトン『ソクラテスの弁明／クリトン』久保勉訳、岩波文庫
プラトン『国家』藤沢令夫訳、岩波文庫
アリストテレス『ニコマコス倫理学』高田三郎訳、岩波文庫
スピノザ『エチカ』畠中尚志訳、岩波文庫
カント『道徳形而上学原論』篠田英雄訳、岩波文庫
ヘーゲル『法の哲学　自然法と国家学の要綱』上妻精・佐藤康邦・山田忠彰訳、岩波文庫
ロールズ『正義論』川本隆史・福間聡・神島裕子訳、紀伊國屋書店

第Ⅴ部　社会に生きる

第一一章　なぜ誰かとともに生きるのか

人間と石ころ

私たちはふだん、誰かがいるせいで自分の思いどおりにならないということはないでしょうか。たとえばバスや鉄道に乗ろうと、のりばでその到着を待つことがあります。そのとき、ほかにも待っているひとがいるかもしれません。すでに待っていたり、後から来て待っていたりするでしょう。では、いざ乗り込んで着席しようとしたとき、ほかの誰かに先に座られてしまったら、どう思うでしょうか。しかも、それが後から来て待っていたひとに座られてしまったらどうでしょうか。

バスや鉄道で実際に着席できたとします。その後で誰かが乗車してきて、自分の目の前に立ったら、どうするでしょうか。乗車してきた相手にもよるかもしれませんが、座席を相手に譲るでしょうか。それともそのまま座り続けるでしょうか。譲るべきかどうか、悩んでしまうようなことはないでしょうか。逆に、私たちのほうが後から乗車して、誰かから座席を譲られたら、どのように思い、実際にどうするでしょうか。

このように、着席したかったのに、ほかの誰かに先を越されて座れなかったり、逆にほかの誰かから譲られて座れたりすることがあります。私たちのほかに誰かがいる以上、このような場面は避けることができません。これが自分の思いどおりになればまだしも、そうならないことがあります。このような毎日を過ごしていると、こうしたやり取りが煩わしくなることがあるかもしれません。そのときふと、誰もいないところで思う存分自分の人生を謳歌したいと願うこともあるでしょう。あるいは、誰からもかまわないでほしい、放っておいてほしいと願うこともあるでしょう。たとえば、道端や川原に石ころが転がっていますが、この石ころには誰も気に留めません。こんな石ころのように、周りとの関係を無視していられたら、どんなに楽なことかと思わないでしょうか。

私たちが思いどおりにならないのは、ほかの誰かが私たちとは異なる考え方や価値観であったり、異なる行為の基準を持っていたりするからです。そもそも誰もが、それぞれ固有の生き方を別々に持っています。ですから、いつも誰かと何かしら異なっていて、ときに衝突したり対立したりします。そのせいで嫌な気持ちになったり、悩んだりします。このような思いをするくらいなら、ひとりで勝手気ままに生きたほうが楽であるようにも思えます。それなのに私たちは、石ころのようにはならず、ほかの誰かがいるところで生きています。では私たちは、なぜ誰かとともに生きているのでしょうか。

かけがえのない個人

世のなかにはたくさんのひとがいますが、私たちのひとりひとりは、それぞれ別々の存在です。自分自身の完全なコピーはどこにもありません。私という人間は、世界で唯一無二の存在なのです。

これはごく当然のことに思えるでしょう。ただしこれは、私たち人間に限られたことではありません。どんな生きものでも、その一体一体は世界で唯一無二の存在ですし、イスであっても石ころでさえも同様です。ですからたとえば、「私という人間が世界で唯一無二だ」と、「道端で拾い上げた石ころが世界で唯一無二だ」は、姿かたちがまったく同じのものがふたつとない、という点では共通しています。多くの人間がいればひとりひとり異なっていますし、たくさんの石ころがあればひとつひとつ異なります。

しかしながら、ひとりの人間がいるのと、ひとつの石ころがあるのは、本当に同じことでしょうか。ひとりの人間とひとつの石ころは本当に同じ存在でしょうか。「あなたは道端の石ころと同じだ」と言われたら、すんなり納得できるでしょうか。何かそこに違和感を覚えないでしょうか。違和感があるとしたら、ひとりの人間とひとつの石ころでは、何がちがうのでしょうか。

実は、「私という人間が世界で唯一無二だ」と、「道端で拾い上げた石ころが世界で唯一無二だ」では、そこに含まれている意味がちがいます。私たち人間は、それぞれの知的欲求・知的好奇心にもとづいて、「何か」について知ろうとします。そして行為のさまざまな基準にもとづいて、自分の意志で振る舞います。したがって私たちは、その存在が異なるだけでなく、生き方もひとりひとり異なり、それが私たち人間の生き方を形成しています。「私という人間が世界で唯一無二だ」と言う場合、それは同一人物がほかにいないということだけでなく、その人間が**かけがえのない個人**だということも意味しています。私たち人間は、ただ存在しているのではなく、それぞれ**固有の生き方を持った個人**

でもあるのです。私たち人間は、少なくともこのような固有の生き方を持っている限りにおいて、道端の石ころとは決定的にちがうと言えるでしょう。

私たちの社会

私たちは、ひとりひとりかけがえのない個人として独立に存在しています。とはいえ私たちは、完全にバラバラに生きているのではなく、実際には、ほかの誰かと関わりながら、ともに生きています。この関係から作られているのが**社会**です。

私たちは社会と聞いて、どのようなものをイメージするでしょうか。たとえば、就職すれば、「社会に出る」というような言い方をすることがあります。このとき社会とは、私たちがいる場所とはどこかちがう独立の空間のように思えるでしょう。しかし実際のところ、社会というのはそのようなものでしょうか。

私たちがたったひとりでいるときには、社会という話にはならないでしょう。社会とは、少なくとも複数の個人が存在することで成り立ちます。あるいは極端な言い方をすれば、社会とは複数の個人そのものを指していると言えるかもしれません。たとえば家族も社会ですし、職場や遊び仲間も社会です。そして私たちは、家族の一員でもあり、職場の一員でもあり、遊び仲間の一員でもあります。つまりさまざまな社会がいくつも重なり合っていて、私たちは、実際にはいくつもの社会に属しているのです。その一方で、たくさんの個人がいる、というだけで社会なのではありません。社会とはバラバラの個人の集合体ではなく、諸個人が関係し合うことで成り立ちます。あるいはこの関係性そのものが社会だとも言えるでしょう。

ところで、いくつもある社会は、それらがすべて一様なのではありません。たとえば家族と一緒にいるときと、職場にいるときでは、ことば遣いや服装が異なるでしょう。また、よその地域のひとに出会ってあいさつするとき、相手にお辞儀をしたり、握手をしたり、ハグをしたり、さまざまなやり方があるでしょう。お辞儀は日本に住んでいると日常的なことですが、海外ではあまりなじみがありません。この頭を下げる行為が「あいさつ」という意味を持つのは、日本という社会だからであって、よその社会ではかならずしもあいさつという意味を持ちません。つまり「お辞儀はあいさつ」は、日本という社会で共有されている価値観であって、よその社会では共有されていないのです。

その一方で私たちは、こうした価値観を共有していることで、その社会の一員であることを実感できます。学校や地域の行事に参加したり、共同作業をしたりすると、ともに同じ社会の一員だとわかります。道をすれちがった相手があいさつをしてこなかったり、見慣れない格好をしていたりすると、その相手によそ者という印象を持つのではないでしょうか。

このように、社会には特定の価値観があり、それを私たちは**社会の一員**として共有しています。社会とは、共有された特定の価値観を持って作られている、私たちの関係のまとまりを指していると言えるのではないでしょうか。

個人の生き方と社会の価値観

私たちは誰であれ、社会と無縁でいることも、社会から逃れて生きることもできません。突如としてこの世に登場したひとがいないことからもわかるでしょう。私たちには親がいますし、誰かが私たちの周りにいるはずです。

こうして、親子や家族のなかで生まれ育つことからもわかるように、私たちは、かならず社会の一員として誕生します。そしてこのことは、私たちが誕生するより以前に、親や家族などのいる社会がすでに存在していて、そこには共有された価値観もあることを意味します。ですから、私たちが生まれたときには、なんらかの価値観を備えたなんらかの社会に自動的に属していることになります。**社会において共有された価値観は、個々人の生き方の形成に先行して存在している**のです。そして私たちは、すでに存在している社会とその価値観のなかで生まれ、それぞれの固有の生き方を形成しているのです。

私たちは社会において、たくさんのひとと出会います。私たちのそれぞれが固有の生き方を持っているのであれば、ほかの誰かの生き方との間で軋轢が生じ、私たちは生きづらさを感じるかもしれません。しかし、そうしたひとばかりではありません。私たちの生き方に賛同してくれるひと、応援してくれるひとも少なからずいます。私たちが自分の人生を謳歌できるのは、自分たちのいる社会でほかの誰かが支持賛同してくれているおかげでもあります。もちろん、支持賛同してくれないひとからも、私たちは何かしらの示唆や教訓を受けることがあります。私たちは、相手がどんなひとであれ、そのひとたちから多くのことを学んでいます。この点で言えば、社会というのは、個人の生き方を認め、応援してくれるものです。

その一方で、私たち個々人がどれだけ固有の生き方を持っているとしても、それだけで何もかも好きなように生きられるわけではありません。私たちが誕生したときには、すでに社会で共有されている価値観があります。それを完全に無視して生きることはできません。

たとえば次のような体験をしたことはないでしょうか。私たちは幼いころ、きっと周りの価値観に従って過ごしてきたでしょう。どうすると褒められて、どうすると叱られるのか。食事の作法や交通ルール、どういう服を着るとカッコよくて、何を持っていれば友人と遊べるのかなど。周りのひとからさまざまな価値観を教わり、あるいは模倣して、受け入れたはずです。

またたとえば、私たちが「何か」をイスと呼び、「イスだと知っている」と言えるのは、ほかのひとと答えを共有しているからです。そして私たちがしつけをつうじて身につけている道徳・倫理も、ほかのひとと共有しているからこそ「善い行い」と言えるのです。

このように、社会において私たちは、一方でそれぞれの固有の生き方を発揮し、他方でほかのひとと共有された価値観を持って生きているのです。

ところで、私たち個々人に固有の生き方と、社会で共有されている価値観は、かならずしも合致するとは限りません。ときに私たちは、周りの価値観が押しつけに思えることがあります。たとえば、勉強しろと言われたり、みんなと同じことをしないといけない雰囲気になったりすると、反発したり、窮屈に感じたりします。「自分自身はこう思う」という気持ちが芽生えてきます。自分自身の生き方と周りの価値観とのちがいやズレに違和感を覚えるようになります。それは激しい対立になることもあるかもしれません。このとき、社会で共有された価値観は、私たち個人にとって、強制してくるもの、自分自身の生き方を妨げるもののように思えるでしょう。こうなると私たちは、社会やその共有された価値観が敵対的なもの、邪魔なものにしか感じなくなり、社会から自立したいと思うのではないでしょうか。

では、社会で共有されている価値観を、私たちはあくまで受け入れて従わなければならないのでしょうか。どうして周りの価値観に足並みをそろえ、なぜ私たち自身の生き方を我慢しなければならないのでしょうか。むしろ周りの人間やその価値観を気にすることなく、それぞれの固有の生き方に従うのが望ましいのではないでしょうか。

ひとりで生きる

社会で共有された価値観を押しつけられることなく、私たち自身の固有の生き方を存分に発揮できれば、個々人の生き方が最大限尊重され、自分らしく生きられるでしょう。そうすれば、誰にも頼らず、自分のことをすべて自分で決められるようになり、誰かとともに生きなくても、個人として自立し、ひとりで思いどおりに生きてゆけるのではないでしょうか。

では、はたしてそのようにひとりで生きることが本当にできるのでしょうか。ひとりで生きることになれば、周りになんら気を配る必要もありません。誰かに支持されることも共感されることも必要ありません。誰がなんと言おうとも、自分自身の生き方を貫くということです。

乗りもので着席したいのならば、順番を抜かしてでも、すでに着席しているひとをどかしてでも座るのです。誰かが何か意見してきても、耳を傾ける必要はありません。道で誰かにぶつかっても、そのまま相手を突き飛ばしてまっすぐ進むのです。これらは極端な話かもしれませんが、それぞれの固有の生き方を貫くとは、妨げになるものに何も遠慮することなく、誰かを突き飛ばしてでも、決断し実行することなのです。

しかしながら、こういう生き方は、実際にできるのでしょうか。これまで何かを決めるという場面では、全部自分ひとりで決めてきたでしょうか。とりわけ、人生を左右する大きな決断の際に、周りの誰のことも気にせず、誰の声にも耳を傾けずに、すべて決めてきたでしょうか。決めてきたのであれば、そこになんのためらいもなかったでしょうか。また、順番を抜かして着席したり、誰かを突き飛ばして進んだりして、何も思わないでしょうか。私たちは、本当に、周りにたいする配慮なく生きることなどできるのでしょうか。

ためらいや配慮という話になると、個々人の気持ち次第ですから、説得力に欠けるかもしれません。そもそも私たちが誰かとともに生きなければならない状況自体が問題になっています。ですから「いや、そもそも誰かと関わるようなところにいるのがいけないのだ、誰とも関わらない場所に行けば、ひとりで生きられるのではないか」と思うかもしれません。しかしはたしてこの地球上で、誰ともまったく関わり合うことなく生きられる場所があるでしょうか。人里離れた山奥や大海の孤島ならば可能と思うかもしれません。しかしそれは、ほかの誰かが関心を寄せていないことはあっても、関係が絶たれているわけではないでしょう。人間との関係性からまったく切り離されているところなどあるでしょうか。仮にあったとしても、私たちには知りようがないでしょう。たとえ誰も行けないような宇宙の果てや海底深くであっても、人間の関心は向けられていますし、無関係だとは言い切れないでしょう。私たちはどこに行こうと、完全にひとりきりで生きるのは、事実上不可能ではないでしょうか。

では私たちは、仕方なく嫌々ながら、誰かとともに生きるのでしょうか。あるいは誰かとともに生きることには、わけがあるのでしょうか。

誰かとともに生きる意味

すでに述べたように、私たちは生まれながらにして社会の一員になっています。私たち人間が社会の一員だというのは、ほかの誰かとの関係のなかで、価値観を共有して生きることです。そうした価値観にもとづいて、ほかの誰かと同じ知識を持ち、道徳・倫理を身につけています。すると、私たちは社会の一員として、ある程度共通の生き方をしていることになるでしょう。

このことは、たとえばアリやハチが群れをなすのとは異なります。生きものが群れをなしているのは、その個体や種の生存の必要を満たすためです。ですからたとえば、ハチは巣を守ろうとして犠牲になっても、そのまま地面に放置されています。別のハチが連れて帰りはしません。そのようなことをしていれば、今度は自分自身が犠牲になりかねないからです。

これにたいして、私たちが社会の一員として生きるというのは、同じ知識を持ち、同じような行動をとって、たんに群がって生きるということだけでなく、その社会のなかで個々人に固有の生き方を発揮しながら、たがいに相手を認め合っていることでもあります。たとえばハチとは異なり、人間は誰かの死を弔い、埋葬します。しかも人間は、埋葬場所である墓地を建設し、そのために広大な土地を用意しています。死んだ個体の居場所がずっとわかるのは人間だけです。私たち人間は、かならずしも自分自身の生存に必要ないにもかかわらず、死者にたいしてすら目を配っています。私たちがかけがえのない個人として生きられるのは、周りに配慮することなく勝手に好きなようにしているからではなく、社会のなかで誰かが私たちを認めてくれているおかげです。

自分が望んで大きな決断をしたり、進路を決めたりした際に、家族や友人の応援があったひともいるでしょう。スーパーでカゴが片づけられていたり、生鮮品の水漏れがないように袋に入れてくれたりすることで、スムーズに買い物ができることもあるでしょう。日常の何気ない場面で、見ず知らずの誰かから親切にされてうれしかったこともあるでしょう。

その一方で、誰かから叱られたり責められたりすることもあるでしょう。それで嫌な気持ちになりますが、それはいま私たちが生きていて、そこに存在しているからこそ可能なことです。私たちが生きていて、そこに存在していると認められなければ、まさに「存在感」がなければ、誰からもなんの声もかけられないでしょう。

このように、どのような仕方であれ、あるいはどんな内容であれ、**私たち個人に固有の生き方を誰かが認めてくれている**からこそ、私たちは**自分の人生を生きていると実感できる**のです。そしてこの点に、社会の一員として生きる意義があると言えるのではないでしょうか。

私たちは、かけがえのない個人としてその固有の生き方を存分に発揮しているだけでなく、たがいの生き方を認め合いながら、社会の一員として生きています。私たちがたがいの生き方を認め合うことは、**みんなのために役に立つ生き方をしている**ことです。友人に悩みを相談したり、誰かに座席を譲ったり、道でぶつかりそうになってとっさによけたり、私たちはたがいのためのことをしています。しかも、「相手のために」とわざわざ思わなくても、意図していなくても、みんなのために、たがいの役に立つ生き方をしているのです。こうした私たちの生き方には**公共性**があるとも言えるでしょう。

このような私たちの生き方については、別の見方からも説明できます。つまり私たち自身の固有の生き方は、自分の意志を実際の行動に移すことでもあります。たとえば着席しようとして実際に座ったり、目の前の相手に気づいて席を譲ったりします。またこうしたことは、私たちの備えている権利を、具体的な行為で表に出すことでもあります。たとえば私たちは座ったり譲ったりする権利があるので、実際に行動に移せます。そして誰かとともに生きているので、ほかの誰かは私たちの行動に何かしらの反応を示します。それは私たちの行動が認められているだけでなく、その行動をもたらした私たちに備わる権利が、ほかの誰かに認められていることでもあります。席を譲って相手から感謝されるとうれしい気持ちになるのは、私たちの行いとともに、私たちの権利が認められたと感じたからでしょう。

では私たちは、実際のところ、公共性があると思えるような生き方をしていると言えるでしょうか。あるいはそのような生き方を意識しているでしょうか。もし個々人の固有の生き方だけを追求し、それを周りに押しつけ、周りに配慮しない身勝手な人間ばかりになれば、社会は身勝手な者の群れにすぎず、そこで私たちは、自分の生存だけを守って生きるだけになるでしょう。自分だけが満足をして、自分だけが生き残ろうとすれば、ほかの誰かを貶めたり、見捨てたりするようになるでしょう。

しかしその一方で、社会の共有された価値観だけに従うことになれば、周りの人間のことを気に病みながら生きることになるかもしれませんし、自分らしい生き方を見失うかもしれません。そして社会は、私たちの生き方を制限し、妨げるものになるでしょう。

かけがえのない個人として生きることも、社会の一員として生きることも、どちらも私たち自身の生き方であり、私たちが生きていることは、その両方を兼ね備えているはずです。私たちがほかの誰かとともに生きていて、何か苦しさや煩わしさを感じていたり、生きづらさを感じたりするのであれば、この両方の生き方が十分に発揮できていないのかもしれません。私たちが生きづらさを感じるのは、誰かとともに生きるからですが、石ころとはちがう自分らしい人生を謳歌できるのもまた、誰かとともに生きるからこそではないでしょうか。

参考図書

マルクス『経済学・哲学草稿』城塚登・田中吉六訳、岩波文庫
フロム『自由からの逃走』日高六郎訳、東京創元社
アレント『人間の条件』志水速雄訳、ちくま学芸文庫
ハーバーマス『公共性の構造転換』細谷貞雄訳、未来社

第一二章　なぜ責任は問われるのか

つまずきの石

唐突ですが、道を歩いていて、すれちがいざまに誰かとぶつかったとしたら、どうするでしょうか。とっさに相手に謝るでしょうか。相手に文句を言って責めるでしょうか。あるいは逆に、相手のほうから謝ってくるかもしれません。またあるいは、相手が私たちを責めてくるかもしれません。ぶつかった相手が責めてきたとき、相手からすれば、私たちのほうが悪いのに謝りもせず、まるで自分たちが悪くないと思っているように見えているでしょう。ですから相手は、それはおかしいと、私たちに問いかけてくるのです。それが責めるということです。こうしたことは、逆に私たちが相手を責める場合にもあてはまるでしょう。

では今度は、道を歩いていて、地面の石ころにつまずいたとしたら、どうするでしょうか。私たちは石ころに謝ったり、責めたりするでしょうか。あるいは逆に、石ころのほうから謝ってきたり、私たちを責めてきたりするでしょうか。きっと、このような珍妙なやり取りにはならないでしょう。通常ならば、石ころにつまずいても、誰かとぶつかったときのような、謝るとか責めるとかいうことにはなりません。

誰かにぶつかると責めることがあるのに、石ころにぶつかっても責めることがないのは、なぜなのでしょうか。ぶつかる相手がちがうと、何が変わるのでしょうか。そもそも、この責めることや責められることがあるのは、どうしてでしょうか。

「責任」ということば

私たちはふだん、誰かを責めることや誰かから責められることを、「責任を追及する」とか「責任を問う」とかのように、**責任**ということばで表現します。

辞書で「責任」を引けば、「任務」や「(法的)制裁」などの意味が出てきます。「任務」と「制裁」では、ずいぶんとちがう意味であるように思えますが、たとえば「任務」の意味で「責任を果たす」と言いますし、「制裁」という意味なら裁判で「責任能力」が問われ、処罰を受けることもあります。このほかにも責任を使った表現には、「責任を負う」「責任がある」「責任がともなう」「責任を取る」などもあります。

私たちは、こうした表現とともに、「責任」ということばを何気なく使っていないでしょうか。責任とは何かとあえて問われたら、はっきりと答えられるでしょうか。きちんと説明するのは難しいかもしれません。私たちは「責任」ということばの意味をあいまいにしたまま、なんとなく使ってしまっていることはないでしょうか。

「責任」ということばは、英語では“responsibility”と表記されます。これは、“respond”（応答する）と“able”（できる）からできています。ですから“responsibility”は、文字どおりには、**「応答可能性」**と訳されるでしょう。

「応答」と聞くと、たとえばトランシーバーで「応答せよ」と言う場面を思い起こすかもしれません。「応答可能性」とは、実行された私たちの行為があって、その行為にたいして誰かから呼びかけがあり、そしてその呼びかけにたいして私たちが応答できるのか、という意味なのです。

これは「任務」や「制裁」という意味とはかけ離れているように思うかもしれません。しかし「任務」という意味は、何か果たすべき行為があることを前提としています。そのような行為を実行するのが「任務」です。ですから「任務」は「果たすべきことにたいして応答する」という意味になるでしょう。また私たちは、何もしていないところで「制裁」を受けることはありません。何か行為を実行した結果として発動されるのが「制裁」です。ですから「制裁」は「行為の結果に応答して発動される」という意味になるでしょう。したがって「任務」も「制裁」も、どちらも私たちの行為をめぐって生じる応答可能性が問われていると言えるのです。

責任を問うとはなんだろう

私たちは、誰かを責める、あるいは誰かから責められることによって、責任を問うています。

たとえば組織で誰かが望ましくない行為をすれば、不祥事として発覚します。こういうときに、責任を問う声が上がる、ということが起きます。責任を問われたひとは、役職を辞任したり、処罰を受けたりします。これは責任を問う声にたいして、応答したことになります。こうやって応答すれば、責任を問う声は上がらなくなります。

このように、一方で責任を問うひとは、誰かの行為について疑問を投げかけ、なんらかの応答をもとめています。他方で責任が問われたひとは、投げかけられた疑問にたいして、応答できるかどうかもとめられています。したがって、責任を問うことも、逆に問われることも、誰かの行為の結果にたいする疑問から生じていることがわかります。

ではどうして、私たちは誰かの行為に疑問を感じるのでしょうか。それは先ほどの不祥事の事例からもわかるように、そのひとが望ましくない行為をしたからです。それは実行するはずのない行為、実行するのがおかしいとかまちがっているとか思われる行為です。それはすべきなのに実行していない、すべきでないのに実行していること、つまり悪い行いです（ちなみにその行為は、嫌なことや嫌いな行いとはちがいます）。ですから、私たちの行為の責任が問われ、あるいは誰かの行為の責任を問うのは、その行為が本当の意味で善い行いなのか、むしろ悪い行いではないのかと、問い質されていることも意味するのです。

そもそも私たちは誰であれ、身につけている道徳・倫理という基準に従って、実行すべきことを実行し、実行すべきでないことを実行しません。それが善い行いです。しかし実際には悪い行いをするひとがいるので、それにたいする問い質しが出てきます。

たとえば誰かが不祥事を起こしたときに、私たちがその行為を問い質し、責任を問うとしましょう。それはその行為が本当の意味で善い行いなのか、疑問を持つからです。言い換えれば、その行為が、私たちが善いと思っている行為とは異なっているからです。もちろん、不祥事を起こすのだから悪い行いに決まっている、と思うかもしれません。では、実際に不祥事を起こした本人からすればどうでしょうか。誰も好きで不祥事を起こすひとはいないでしょう。まじめに仕事をしていたのかもしれませんし、大切な家族や仲間を守ろうとしたのかもしれません。もしかしたら、本人にとっては望ましいと思った行為、善い行いだったのではないでしょうか。しかしそれは、周りにいる私たちにとっては望ましくない行為、悪い行いなのです。

このように、誰かの行為が問い質され、その責任が問われるのは、**行為した本人の思う善い行いと、周りの相手の思う善い行いとの間にちがいやズレがある**からです。ひとりひとりの思っている善い行いは、それぞれ異なっているでしょうから、自分自身の思う善い行いと照らし合わせたときに、あるいは相手の行為がそのとおりに善い行いだと思えないときに、それは本当の意味で善い行いだと言えるのか、それは悪い行いなのではないかと、問い質すのです。これこそが、責任を問うことではないでしょうか。

私たちは、このように行為を問い質し、その責任を問うことによって、本当の意味で善い行いとは何か、あらためて問うことができるようになります。責任を問うことは、私たちが**誰にとっても善いと思える行いを目指すこと**でもあるのです。

責任を問われなかったら

では、責任を問うことで誰にとっても善いと思える行いを目指せるのであれば、いずれ誰もが善い行いを実行するようになるかもしれません。そうなれば、ひとりひとりの思っている善い行いにもちがいやズレが生じることはなくなるでしょう。そして誰かの行為に疑問を覚えることもなくなるでしょうから、その行為を問い質すことも、責任を問うこともまた、なくなるのではないでしょうか。これによって私たちは、誰かからの呼びかけや問い質しに気兼ねすることなく、思いどおりに振る舞えるのではないでしょうか。

しかしながら、こうして問い質されることもなく、思いどおりに振る舞えるようになるのは、本当に望ましいことなのでしょうか。

たとえば公園で友人とキャッチボールをしているとしましょう。たんにボールを投げ合っている間、私たちは自分たちの行為の責任について、特段意識することなどないでしょう。ところが、投げたボールが近所の家まで飛んで行き、ガラスを割ってしまったら、状況は一変します。きっと家人が怒って出てきて「割れたガラスを弁償しろ」などと言ってくるでしょう。つまりボールを投げた行為にたいする責任が問われるのです。ガラスを割ったとたん、責任というのが私たちに登場してきます。

では、どんな行為であってもかならず責任が問われるのかと言えば、そうではありません。投げたボールが家のほうではなく、きちんと友人のところに届いてキャッチボールができていれば、ボールを投げた行為にたいして責任が問われる、ということはないでしょう。すると、責任が実際に問われるときと問われないときでは、何がちがうのでしょうか。ガラスを割ったかどうかという結果のちがいでしょうか。それでは、ガラスの割れた家が空き家である場合はどうでしょうか。割っても誰も出てきません。家人から責任を問われることも、問い質されることもないでしょう。この場合、ガラスを割ったという結果があっても、責任を問われることはないのではないでしょうか。

それならば、たとえ空き家だとしても、一緒にボールを投げていた友人や、公園にいるほかのひとたちがいた場合はどうでしょうか。そのときには、友人やほかのひとから責任を問われるのではないでしょうか。

このようにいくつかの場面を想定してわかるのは、実際に私たちの行為の責任が問われるのは、その行為した本人以外に誰かがいて、責任を問う声が上がるときだということです。

では、誰もいない公園で、ひとりでボールを投げて、近所の空き家のガラスを割ってしまったら、どうなるでしょうか。周りに誰もいなければ、その場で実際に責任を問う声は上がりません。誰かから責任を問われることがないのなら、ボールを投げてガラスを割った責任はないことになるのでしょうか。

このとき私たちは、ガラスを割った行為に何も感じず、平然とボール投げを続けられるでしょうか。そんなことはないでしょう。きっと私たちは、やってはいけないことをやってしまった、すべきでないことを実行してしまったと後悔して、苦しい気持ちになるのではないでしょうか。これは良心の呵責、つまり良心が咎める気持ちです。あるいは私たちの責任感とも呼べるでしょう。私たちは周りに誰もいなくても、すべきでないことを実行したとき、すべきことを実行しなかったとき、つまり悪いことをしたときに、良心が咎めるのです。良心の呵責は、まさに自分で自分の責任を問う声だと言えるでしょう。

このように、周りに誰もいなくても、私たちは自ら責任を問うのです。ですから私たちは、どのような場面のどのような行為でも、自分自身を含む誰かから責任を問われる可能性があるのです。

私たちのどのような行為も、責任を問われる可能性がつねにあります。実際に誰かから問い質されることがなくても、良心が咎めることがありますし、そのような気持ちにならないとしても、責任が問われないとは限りません。私たちはつねに、誰かから責任を問われるかもしれませんし、問われないかもしれません。応答をもとめられるかもしれませんし、もとめられないかもしれません。しかし問い質しがないことは、問われるべき責任がないことではありません。**責任が問われないことは、責任がないことを意味しない**のです。むしろ、私たちの**あらゆる行為には責任が元々備わっている**と言えるでしょう。その備わっている責任を、ふだんの私たちは意識しませんが、実際の行為の結果によっては、その備わっていた責任が意識され、応答をもとめられるのです。

「つねに誰かから問い質される可能性がある」と言われると、たとえ問題なく振る舞っていても気になってしまうかもしれません。いつ責任が問われるかもわからないと思うと、窮屈に感じるのではないでしょうか。萎縮して何もできなくなってしまうかもしれません。どんな行為でも責任を問われうるのですから、それに縛られては、思いどおりに生きられないように感じます。そして実際に誰かしょうか。

から問い質されることもあるでしょう。けれども私たちはこういう状態で振る舞い、生きているので

責任とルール

私たちのどんな行為にも責任が備わり、つねに問い質されるかもしれないことで、思いどおりに生きづらくなると、そこには、自分たちの**行為の限界**があるように思えてきます。しかもその限界は、ほかの誰かとの間で、たがいの行為やその基準が衝突し、責任の問題が生じてしまったときに、もっとはっきりと気づくのではないでしょうか。

責任を問われることで気づく行為の限界は、ほかの誰かとの間に引かれた境界線のようなものです。こうした境界線として私たちに示されてくるもののひとつが**ルール**です。それを踏み越えるような行為をすればルール違反であり、「ルールを違反してはいけない」と言われるでしょう。私たちはふだん、「ルールを守らなければならない」という道徳・倫理に従って行為しています。

たとえば、よその家のガラスを割れば、器物損壊のルール違反となるのは当然ですが、家人からも責められます。つまり責任を問われます。このように、私たちがルールを違反するのにともなって、私たちの行為が問い質され、責任が問われるのです。

したがってルールとは、**私たちの行為がほかの誰かから問い質されるか否かの指標**となっているとも言えるでしょう。

では、私たちがルールという境界線を踏み越えたとしたら、その向こう側には何があるでしょうか。それは、ほかの誰かが思いどおりに振る舞えるところではないでしょうか。

たとえば、自分の家のガラスを割っても困るのは私たち自身だけで済みますが、よその家のガラスを割れば、器物損壊というルール違反となるだけでなく、家人の生活を妨げます。このように、私たちが行為の限界を踏み越え、ルールを違反することは、ほかの誰かが思いどおりに生きるのを妨げることになります。逆に誰かがルールを違反すれば、私たちの思いどおりに生きるのが妨げられることになるでしょう。

したがってルールとは、私たちの行為の限界であるだけでなく、**私たちが思いどおりに生きられる範囲と、ほかの誰かが思いどおりに生きられる範囲を隔てる指標**でもあるのです。ですから、思いどおりに生きようとするたがいの行為を邪魔しないために、「ルールを違反してはいけない」と言われるのです。

ところで、ルールは、私たちが実際に行為する以前から明文化されていたり、私たちが生まれる前からすでに作られていたりしています。ですから、ルールというのは、誰かが私たちの知らないところで決めて、私たちが行為するときにはすでに存在しているもので、それを個々の行為にそのつど適用しているように思ってはいないでしょうか。

しかし私たちは、つねにルールを意識して振る舞っているわけではありません。むしろふだんはルールの存在など、なんら気にすることがないでしょう。私たちの行為が限界に至ったとき、あるいはほかの誰かの思いどおりに生きる範囲を踏み越えたとき、はじめてルールは登場してきます。

このようなルールのあり方は、責任と似ています。どちらもふだんは私たちに意識されることがありません。しかしあるとき突如として私たちの前に現れ、意識させるようなものです。ルールは、私たちの責任の問われる場面ではかならず出てきます。その責任は、私たちのどんな行為にも備わるものです。したがってルールとは、私たちの実際の行為やその責任と無関係なのではなく、たとえふだんは意識することがなくても、私たちの行為の限界と責任にともなうものではないでしょうか。

思いどおりに生きるには

私たちの行為がルールという境界を踏み越えられず、行為の結果によっては誰かから責められるかもしれないのだとすると、やはり私たちはなんでもできるわけでなく、窮屈な気持ちは拭えません。もちろん、ルールを踏み越えるようなことをしなければ、責任を問われることもないのですが、とはいえ限界があると思って振る舞うとなれば、思いどおりに生きられていると、やはり素直に認めることはできないでしょう。

しかしそのように思うのは、そもそも「自分の意志でどんな行為も無際限に実行できる」という前提があるからではないでしょうか。

たとえば、目的地まで最短距離でまっすぐたどり着こうとして、誰かを突き飛ばし、建物を突き破り、山の高さや川の流れを無視して進む、などということはしないでしょう。目的地まで行こうとしても、あらゆる状況をいっさい無視して実行することはできません。しかしそのようにできないとしても、窮屈だと思うことはないでしょう。これは極端な例ですが、少なくとも、まっすぐ平坦な道でなく、勾配があって曲がった道だからと、いちいち文句を言うことはないでしょう。それを「思いどおりにならない」とは言いません。それを言わないのは、私たちの行為にはそもそもできないことがあり、限界があると、本当はわかっているからではないでしょうか。突然私たちの行く手を阻まれるのならばともかく、限界があるとすでにわかっているのであれば、私たちはそのなかで最善を講じて、思いどおりに生きるのではないでしょうか。

こうした行為の限界に、私たちの日常生活で気づかされることがあるのは、私たちの行為が問い質され、その責任が問われる場面ではないでしょうか。私たちは好き勝手にどこへでもボールを投げられるのではなく、ガラスを割って責任を問われるときのように、踏み越えてはならない限界のあるのがわかります。そうしたら私たちは、投げ方や投げる方向を工夫して、ふたたびキャッチボールを楽しむことできます。私たちが行為の責任を問われたことで、**行為の限界を自覚し、そのうえで思いどおりに生きる**ようになっていると言えるのではないでしょうか（それは、思いどおりに生きるために責任が問われればよいということではありません）。

ところで、私たちの行為の責任が問われたとき、それにたいして私たちが応答すれば、責任を問う声は上がらなくなるでしょう。これによって私たちは、ふたたび思いどおりに生きられるはずです。しかしながら、実際には、そうかんたんではないこともあります。たとえばガラスを割った場合やすれちがいざまにぶつかった場合、その相手に謝れば、それで済むとは限りません。場合によっては警察のお世話になるかもしれません。そしてそのつど相手だけでなく、多くのひとに責任を問われ、それにたいして応答するために、謝罪するなど、責任を取らなければならないでしょう。

このように、責任を問う声にたいして応答するのは、一度きりとは限りません。何度も応答しなければならないこともありますし、場合によってはおわりなく応答しなければならないかもしれません。いつまで応答しなければならないのだと思ってしまうかもしれませんが、このようなことは、私たちの行為の結果が未来にまで影響を及ぼし続けるときに起こりえます。ではそのようなとき、私たちはいつまで応答するのでしょうか。ずっと応答し続けなければならないのだとすれば、私たちは、本当に思いどおりに生きることができるのでしょうか。

参考図書

アリストテレス『ニコマコス倫理学』高田三郎訳、岩波文庫
アウグスティヌス『告白』山田晶訳、中公文庫
モンテスキュー『法の精神』野田良之・稲本洋之助・上原行雄・田中治男・三辺博之・横田地弘訳、岩波文庫
ミル『自由論』関口正司訳、岩波文庫
カント『道徳形而上学原論』篠田英雄訳、岩波文庫
ウェーバー『職業としての政治』西島芳二訳、岩波文庫

第一三章　なぜ価値は生まれるのか

宝石の輝き

ダイヤモンドと聞いて、何を思い浮かべるでしょうか。指輪やネックレス、ブティックに並ぶ品々などが、まずイメージされるかもしれません。ダイヤモンドを、とても値打ちのあるもの、価値の高いものだと思うひとは多いでしょう。ダイヤモンドを身につけることに、あこがれを持つひともいるでしょう。ですから目の前にダイヤモンドがあれば、きっと大切に扱おうとするのではないでしょうか。

私たちが手に入れることのできるダイヤモンドは、きれいに磨いて宝飾用に加工したものでしょう。しかし加工前の原石となると、その見た目はほかの岩石と大きくちがうことはありません。道端に転がっていたとしても、もしかしたら気づかないかもしれません。ですから、見た目だけならば、ダイヤモンドの原石は、道端に落ちている石ころと大差はないと言えます。

私たちの多くは、ダイヤモンドと道端の石ころが同じような見た目の岩石だとわかっていても、ダイヤモンドのほうに価値があると思っています。けれどもなかには、ダイヤモンドを「ただの石にすぎない」と言うひともいます。ダイヤモンドは道端の石ころと変わらないと思うひともいます。そのようなひとは、ダイヤモンドのあの美しい輝きには目もくれないのでしょう。

このように見てみると、一方でダイヤモンドには高い価値を認めるのに、他方で道端の石ころのほうがそうでないのは、どうしてでしょうか。どうしてダイヤモンドには価値があるのでしょうか。

価値とはなんだろう

私たちは日常的に、**価値**ということばを使います。「物の価値」や「お金の価値」などと言います。またそれだけでなく、たとえば善や悪のように、行為の価値とも言われます。私たちにとって価値は、ごく自然にあるものとして、そのことばもふだんから使っているでしょう。

そもそも価値とはなんでしょうか。辞書を引けば、物に備わっている値打ちや、認められるべき性質や役に立つものなどを指していることがわかります。たとえば私たちがダイヤモンドに高い金額をつけてとても大切に扱うのは、ダイヤモンドに価値があると思っているからです。

このように、「何か」に価値のあることがわかるのは当然だとしても、それが誰にでもわかるのは、少し不思議ではないでしょうか。というのも、私たちは、「何か」に備わっている「価値」なるものについて、それ自体を見たり触れたり取り出したりすることができないからです。

たとえば私たちは、ダイヤモンドのなかから「価値」にあたる部分を取り出して見せることはできません。おそらく私たちが「価値」と言うときには、その美しさを指すかもしれませんが、美しさとはきわめて抽象的なもので、手に取ることができません。しかし、このように抽象的なものを、私たちは価値だと当然のことのようにわかります。ではどうして私たちは、「何か」に価値があるとわかるのでしょうか。

さらに不思議なことがあります。価値あるものを「価値がある」と思うのは、ごく当然のことです。ダイヤモンドに価値があることに疑問を持つことはないでしょう。ところが世のなかには、ダイヤモンドに価値はないと思うひともいます。ダイヤモンドが高価だとわかっていても、それを大切にしているひとの気持ちがわからない、どうしてダイヤモンドなど大切にするのだろうと疑問に感じるひともいます。「あんなのただの石ではないか」と言うひとまでいます。ダイヤモンドなんてただの石ころと変わらないと思うときには、それに価値はないということを意味します。実際のところ、価値があると言われているからと、私たちの全員がそう思うとは限りません。大多数のひとに価値があると思われているものにも、価値はないと思うひとはいます。世のなかにさまざまな価値があるのはわかりますが、同じものでも、価値があると思うひとと価値がないと思うひとがいるのです。

このように、同じものでも「価値がある」と言われたり、「価値がない」と言われたりします。それはどうしてなのでしょうか。「何か」に価値があったり、なかったりするのはなぜなのでしょうか。

価値があるとわかるのは

私たちは、「価値がある」と、どのようにしてわかるのでしょうか。

たとえば、道端に木が倒れていたとしましょう。たんに木が倒れているだけであれば、私たちは何も気に留めることなく、その場を素通りするかもしれません。私たちにとって、倒れている木は、別になんの役にも立たないですし、そこに価値があると思わないでしょう。

けれども、私たちが歩き疲れたちょうどそのときに、目の前に木が倒れていたらどうでしょうか。私たちは、この倒木に腰掛けて、休憩することができます。このとき倒木は、私たちが休憩するのに役に立っています。倒木には、「座って休憩することができる」という価値のあることがわかるでしょう。

私たちは、倒木との関係をつうじて、倒木の価値に気づくことができるのです。倒木の価値は、私たちが実際に倒木に腰掛けてはじめてわかるようになりました。倒木に私たちが腰掛けた結果として、倒木に価値はある、というのが出てきます。以上のように、私たちは行為の結果として、さまざまなものの価値に気づくことができます。

ところで、倒木に価値があることは、私たちが腰掛けたおかげでわかりました。つまりこの腰掛けることは、私たちが倒木の価値に気づくのに役に立っています。腰掛けることには、「倒木の価値をわかるようにすることができる」という価値のあることがわかります。私たちは、腰掛けることとの関係をつうじて、この腰掛ける行為そのものの価値に気づくことができるのです。以上のように、私たちは、行為の対象となるものの価値だけでなく、その価値をわかるようにする私たちの行為そのものにも価値がある、と気づくことができるのです。

「何か」に価値があるとわかるのは、私たちがその「何か」と関係するからです。「何か」の価値は、私たちの行為の結果としてわかります。見方を変えれば、私たち人間の行為は、**さまざまな「何か」が持っている価値を具体的にわかるようにする営み**だと言えるでしょう。しかも同時にこの行為は、それ自体で「価値をわかるようにすることができる」という価値があります。したがって、こうした私たち人間の行為は、**自らの行為そのものの価値をわかるようにする営み**だとも言えるでしょう。

価値を決めるのは

ところで、私たちが腰掛けた倒木には、「座って休憩することができる」という価値がありますが、腰掛けることなくそのまま素通りしてしまえば、その価値はわかりません。森のどこかで木がただ倒れているだけでは、それに価値があるとは言わないでしょうし、価値があるかさえも、私たちにはわからないでしょう。倒木は価値あるものとして登場することなく、ほかのものとともに風景のなかに埋没していることでしょう。そのような価値が実際に倒木に備わっているとしても、倒木がただそこにあるだけでは、価値があるかどうかわからないのです。ではこの素通りしてしまった倒木にあるはずの「座って休憩することができる」価値は、どこへ行ってしまっているでしょうか。

倒木が価値あるものとして存在するかどうかは、私たちが腰掛けるか素通りするかで異なっています。つまり私たちがその倒木にどのように関係するのか、私たちの行為に左右されています。倒木の価値は、私たちのさまざまな行為と無関係でないのです。ということは、倒木の価値の有無を決めているのは、私たち人間の行為なのではないでしょうか。私たち自身が倒木やダイヤモンドに価値を与えていて、**価値の有無は私たちの行為に由来する**のです。私たちがどのような行為をするかによって、価値のあり方も変わります。私たちが価値を与えるから、「何か」に価値があると言えるのです。

では、価値の有無が私たちの行為との関係に左右されるのだとしたら、その関係から離れているとき、価値はどうなっているのでしょうか。

たとえば地中に埋もれたままのダイヤモンドの原石や、森の奥深くで朽ちてゆく倒木の場合にはどうでしょうか。私たちの行為とは無関係に、その原石や倒木そのものに価値が備わっているならば、価値はそれらのなかにずっとあり続けているという見方ができます。この場合に私たちの行為は、元々備わっている価値が表に出てくるための誘い水になっていると言えます。

その一方で、別の見方もできます。つまり、私たちの行為との関係において価値があるとわかるのですから、あの原石や倒木にはそもそも価値などないのではないか、あくまで私たちが価値を与えるにすぎないのではないか、という見方です。この場合、原石も倒木も、私たちの言う価値とはそもそも無縁なものとして存在していることになります。

同じものでも、価値があると思うひとがいたり、逆に価値がないと思うひとがいたりすることは、すでに述べました。これを先ほどのふたつの見方にあてはめれば、元々ある価値を、ひとによって見つけられたり見つけられなかったりしているのか、あるいは価値の有無を決めるひとによって、価値があったりなかったりするのか、そのいずれかだと言えます。しかしいずれにしても、私たちの行為と関係することなしに、価値の有無について決められないのではないでしょうか。

倒木は、腰掛けたひとにとっては価値あるものでも、ほかのひとにとっては、どうでもいいもの、場合によっては邪魔なものにすぎないかもしれません。またダイヤモンドは、とても価値のあるものだと大切にされていますが、まったく興味がないひとからすれば、石ころと変わらないでしょう。さらには、何かマニアックなものやコレクションのようなものは、集めているひとたちにとっては非常に価値あるものでも、ほかのひとからすれば、ガラクタやゴミと思われるほど、価値のないものでしょう。

このように、誰かにとって価値のあるものが、別のひとにとってはなんらの価値もないものだということは、よくあります。また、道端の石ころのように、誰も気にも留めなければ、なんらの価値もないものもありますが、ふと誰かが目を留め、価値があるということになれば、価値あるものになることもありうるのです。

私たちの行為は、ひとによってそれぞれちがうのはもちろんのこと、時代や地域が変わればその行為のあり方もまた変わります。価値もまた同様に、ずっと変わらずあり続けているというよりは、ひとによって、地域によって、時代によって変わるものではないでしょうか。その意味で価値とは、人間が営む文化に左右されるものではないでしょうか。

どこから価値は出てくるか

先ほど、価値の有無が私たちの行為に左右されていると述べましたが、そのような話に素直に納得できたでしょうか。むしろ、価値はやはり私たちの行為に関係なく、ダイヤモンドや倒木などのほうに最初から価値が備わっていて、それが私たちにたいして表に出てきているのだ、と思うのではないでしょうか。たしかにダイヤモンドの美しさや輝きは、ダイヤモンドそのものに元から備わっているように思えますから、誰であれダイヤモンドの価値を認めるはずではないでしょうか。

ところで、たとえばいまここに一万円札があれば、それを私たちはとても大切にするでしょう。それはなぜでしょうか。その一万円札のデザインが美しいからでしょうか。肖像として描かれている人物の大ファンだからでしょうか。そういうわけではないでしょう。当然でしょうが、私たちが一万円札を大切に扱うのは、それが高額紙幣だからです。ご存じのとおり、この一万円札には「一万円相当のものと交換できる」価値があります。私たちは、一万円札を価値あるものだと思うからこそ、大切に財布にしまいます。うっかりなくそうものなら、大騒ぎになり、必死になって、なくした一万円札を見つけようとするでしょう。このとき私たちは、一万円札の価値がどこにあると思っているでしょうか。おそらく私たちは、その価値が一万円札そのものに備わっていると思っているのではないでしょうか。なくした一万円札を実際に見つければ、その一万円札のことをとても価値あるもの、大切なものだと強く感じるのではないでしょうか。

では本当に一万円札そのものが、「一万円相当のものと交換できる」価値を備えているのでしょうか。実際のところ、一万円札の原材料となる紙は、何か特別なものでもなければ、高級なものでもありません。また一度に大量に印刷されますから、費用もそれほどかかりません。原価は一万円に遠く及ばず、ほんのわずかにすぎません。ですから一万円札という紙幣そのものに、一万円に相当する何かしらの価値があるようには思えません。それにもかかわらず私たちは、一万円札そのものを、一万円に相当する価値があると思って大切にしているのです。

それならば、どうして私たちは、一万円分の価値があるわけではない一万円札を、一万円に相当する価値があると思っているのでしょうか。それは、「何か」それ自体に備わっているものを価値と呼んでいるのではなく、どれだけの価値があるのか、私たちが決めたものを価値と呼んでいるからではないでしょうか。私たちが一万円札に一万円相当の価値があると決めているから、一万円札は一万円の価値があると言えるのです。

以上のように、世のなかで価値があると思われているものは、それ自体で価値を備えているというよりも、私たち人間によってそのように価値づけられていると言えるのではないでしょうか。倒木の価値も私たちが腰掛けて決まっているのです。つまり価値の生まれる**みなもと**は、私たち人間の行為にあるのではないでしょうか。

ところが私たちはふだん、物の価値は物そのもののほうに最初から備わっていると思っています。しかしこの紙幣の例からわかるように、紙幣そのものにその額面どおりの価値があるとは思えないでしょう。私たちが一万円相当だと思っているからこそ、一万円札として通用しているのではないでしょうか。ですから、ダイヤモンドであれ倒木であれ、それら自体に元から価値が備わっているかのように思ってしまいがちですが、むしろそれらに私たちが価値を与えているからこそ、価値あるものなのではないでしょうか。

人間の価値

私たちはふだん、ダイヤモンドやお金など、さまざまなものに価値があると思っています。通りすがりの倒木にさえ、私たちは価値を与えることができます。私たちは、身の周りにある「何か」について、価値を与え、「価値がある」と言うことできます。ところで私たちの身の周りには、私たちと同じ人間もまた存在しています。ということは、私たちは身の周りのものに価値があると思えるだけでなく、人間にも、価値ある存在だと思うことができるでしょう。

たとえば誰かを好きになったり嫌いになったりすることも、なんらかの興味や関心を持つことも、人間にたいして私たちが与えている価値のひとつです。私たちが何かしらの気持ちを持たせる相手がいれば、そのひとは私たちにとってなんらかの価値ある存在と言えるでしょう。このようにして私たちは、人間に価値を認めることができます。

私たちが身の周りにいる誰かに価値を認めるならば、身の周りの誰かもまた、ほかの誰かに興味や関心を持ち、好きになったり嫌いになったりするでしょう。あるいは私たちにたいしても、同様になんらかの価値を認めるでしょう。このように私たち以外の誰かもまた、私たちが価値を与えるのと同じようにして、「何か」について、あるいは誰かについて、価値を与えているのです。

　このようにして、ある人間の価値は、その人間そのものに備わっているというよりも、周りのひとたちによって決められていると言えますし、あるいは当の本人によって決められていると言えるでしょう。

価値がある意義

　私たちはほかの誰かとともに、「何か」について、あるいは誰かについて、価値を与え、価値があると思うことができます。たとえば私たちがダイヤモンドに価値があると思い、ほかの誰かも同じように価値があると思うことができます。私たちはこのような価値を、ほかのひとたちと共有することができます。その限りでこうした価値は**普遍性**を持っていると言えますし、**社会性**を持っているとも言えるでしょう。

　ほかの誰かが、私たちの与える価値の対象となり、私たちと同じように価値を与える存在なのだとすれば、逆に私たち自身もまた、ほかの誰かから価値の与えられる対象となっていると言えます。私たちは、「何か」に価値を与える自らの行為そのものに価値があると認めることができますが、ほかの誰かからも、私たちが価値ある存在だと認めてもらうことができるのです。このことから私たちは、ほかのひとたちと**たがいに価値を与え合い、たがいに価値ある存在として認め合っている**ことがわかります。私たち人間はかけがえのない個人としてその固有の生き方をしているだけでなく、たがいの生き方を認め合いながら、社会の一員として生きています。その社会のなかで私たち人間は、たがいの価値を認め合い、**たがいに役に立つ存在として生きている**のです。

　もちろん、自分自身がほかの誰かの役に立っていると気づいているとは限りません。私たちが気づかないうちに、ほかの誰かの役に立っていることもありますし、その逆もあります。また、私たちが望みどおりのことをしようとするとき、ほかの誰かがその手助けとなる役割を担っていることもあります。たとえば、欲しいものを買おうとしたときに、それを売ってくれるひとや、作って用意してくれるひとがいます。そのようなひとたちがいてはじめて、私たちは望みどおりのことができると言えるでしょう。それはまた、そのようなひとたちが、私たちのためにまさに振る舞っているとも言えます。見方を変えれば、私たちの行為は、別の誰かが望みどおりのことができるためにあり、そういうひとの役に立っているとも言えるのです。社会において私たちは例外なく、なんらかの**役割**を担っているのです。

　私たちは、自分自身が生き続けることを望み、自分自身の人生を生きています。これにともなって、私たちは価値を与え、なんらかの価値に気づきます。このとき、ほかのひとにかまわず自分の人生を生きているかと言えば、そうではありません。先ほども述べたように、どれだけ自分の望みどおりに生きようとしても、周囲の協力や支えがなければできないことも多くあります。全部自分ひとりでできているつもりでも、実際には気づかないところで誰かに支えられていることもあります。また、意図していなくても、自分の行為が誰かのためになっていることがあります。私たちは、自分自身の生存のためだけでなく、社会の一員としてもなんらかの役割を担っているのです。ですから私たちは、たんに**自分自身にとっての価値**を与え、その価値に気づくだけでなく、**社会の一員としての価値**も与え、その価値に気づくことでしょう。私たちは、これら両方の価値を同時に与えているのであって、それらの価値に気づくからこそ、**人間として生きている実感**を得るのではないでしょうか。またこうした実感を得るからこそ、価値は生まれるのではないでしょうか。

　では実際のところ、私たちはふだん、社会の一員としてなんらかの役割を担っていて、価値を与えていると、どれだけ実感しているでしょうか。たんに自分が食べてゆくためだけに生きているのだと思ってはいないでしょうか。そしてほかの誰かの価値について、自分自身の都合で理解してはいないでしょうか。便利に思う間は友人となり、用が済んだら縁を切ってはいないでしょうか。そもそも価値は、物の値打ちだけでなく、認められるべき性質や役に立つものを指していました。そして価値の有無は私たちの行為に左右されました。それならば、価値というのは、私たちの都合で好きなように決められるものでしょうか。価値あるものは、たんに都合のよいものでしょうか。あれほど大切にしていたダイヤモンドを、石ころのように投げ捨ててはいないでしょうか。自分自身の価値もまた、誰かに投げ捨てられてはいないでしょうか。

参考図書

スミス『諸国民の富』大内兵衛・松川七郎訳、岩波文庫
マルクス『経済学・哲学草稿』城塚登・田中吉六訳、岩波文庫
ヴェーバー『社会科学と社会政策にかかわる認識の「客観性」』富永祐治・立野保男訳、折原浩補訳、岩波文庫

第Ⅵ部　人間として生きる

第一四章　なぜ私たちは生きているのか

はかない瞬間、永遠の瞬間

「祇園精舎の鐘の声、諸行無常の響あり。娑羅双樹の花の色、盛者必衰のことわりをあらはす。奢れる人も久しからず、唯春の夜の夢のごとし。たけき者も遂にはほろびぬ、偏に風の前の塵に同じ。」（梶原正昭・山下宏明校注『平家物語』、岩波文庫、一四頁）――これは軍記物語『平家物語』の冒頭の一節です。すべては変化し、永遠不変のものはありません。私たちのいのちは無限ではありませんし、人生はあっと言う間に過ぎ去ります。また誰であれ繁栄し続けることはなく、いずれ没落します。どんなひとでも成功し続ける人生はありませんし、うまくいかないことがかならず訪れます。すべては一夜の夢のように、風に舞う塵のように一瞬なのです。

このような世界観に、どのような印象を受けるでしょうか。どんな価値あるものも、いずれはなくなり、あるいはその価値が失われます。すべてがはかなく移ろいゆくことに、寂しさや虚しさを感じてしまうでしょうか。たしかに世のなかを見渡せば、ずっと変わらないままのものは、存在しないように思えます。生まれ育った街並みが変わっていないとしても、これから先も変わらないとは限りませんし、人間の一生は宇宙の歴史からすればほんの一瞬の出来事ですから、変わらない街並みなど、より短い瞬間のことにすぎません。すべては川の流れのように留まることがなく、どんどんと過ぎ去ってしまうことでしょう。

その一方で、過ぎ去るそれぞれの瞬間は、二度と訪れることがありません。その瞬間を切り取ってみる限り、すべては一度きりのものです。街並みを眺めているこの瞬間は、二度と再現することができません。次の瞬間に街並みを見ても、それはさっきの瞬間に見た街並みとは別のものです。あるいはたとえば、忘れがたい思い出は、二度と味わうことがありません。そしてあの日のあの瞬間は、後から手を加えて変えることのできないものです。私たちには、この一瞬そのものを変えることはできません。その限りで、それぞれの一瞬は永遠不変だと言えるでしょう。

いのちを大切だと思っている

ごく当然のことですが、私たちが生きているというのは、死なないようにしているということです。健康でいるとか長生きするとかも、私たちが死なずに生きてゆくのに必要なことです。またこれも当然のことですが、こうして生きてゆくことができるのは、私たちがいのちある存在だからです。いのちがあるからこそ、私たちは生きていることができるのです。

私たちはふだんから、当然のように、このいのちを大切だと思っています。そしていのちには何にも代えがたい価値があると思っています。ときには「ひとのいのちは地球よりも重い」と言われることもあります。いのちが大切で価値あるものだというのは、疑問の余地のないことだとされています。

しかしながら、あえて問いますが、そもそもいのちというのは、そんなに大切なものなのでしょうか。いのちの価値は、そんなに重いのでしょうか（もちろん、いのちが大切でないとか、価値がないとか言いたいのではありません）。いのちが大切だと言われるわけはなんでしょうか。

こうした疑問にたいしては、たとえば「いのちはひとつしかないから大切なのだ」と答えることができるでしょう。あるいは「いのちは限りあるものだから大切なのだ」と答えることもできます。さらには「いのちには、親から子、子から孫へとつないでゆく使命があるから大切なのだ」と答えることもできるでしょう。もっと素朴に「誰であれ本能的にいのちを守ろうとするから大切なのだ」という意見もあるかもしれません。

ほかにもわけがあるでしょうし、とくにわけが言えないとしても、とにかくいのちは大切で価値あるものだ、と確信を持っているのでしょう。きっと、世のなかのほとんどのひとが同じように確信を持っているのではないでしょうか。そのことにもまた、誰も異論がないかもしれません。いずれにしても、私たちは多かれ少なかれ、いのちがどれだけ大切なものか、さまざまなわけとともにずっと聞かされてきたことでしょう。そして、私たちは誰もが、ほぼ例外なく、いのちは大切だと思っているのではないでしょうか。

では、それほど当然のことのようにいのちが大切で価値あるものだと広く思われているのならば、たとえば戦争やテロリズムによって、どうしてあんなに多くのひとが、いともかんたんに死んでしまうのでしょうか。また、いのちが大切なものならば、たとえば身近なひととの会話のなかで、仮に冗談だとしても、どうして「死ね」とか「殺す」とかいう乱暴なことばを軽々しく口にすることができるのでしょうか。

たしかに世のなかでは、いのちが大切だとは言われていますし、誰もがいのちは大切だと思っているはずです。しかし現実に起きていることを見ると、そうは思えません。では本当に、いのちは大切で価値あるもので、本当に、いのちは守られなければならないのでしょうか（もちろん、いのちが大切でないとか、守らなくてよいとか言いたいのではありません）。

意味があると思って生きている

「私たちはなぜ生きなければならないのか」。「生きていることには、なんの意味があるのか」。とりわけ、つらいことや苦しいことがあると、私たちはこのような問いを発することがあります。それは**生きている意味**についての問いです。私たちはこの問いかけに、どのように答えることができるでしょうか。

「生きている意味とは何か」という問いにたいしては、すでに答えを持っているひともいるでしょうし、いま答えを思いついたひともいるでしょうし、よくわからないままのひともいるかもしれません。「わからないその意味を探すことこそ生きている意味だ」と答えるひともいるでしょう。それでも、ひとまず何か答えを出せるでしょうか。何かもっともらしいこと、それなりのことは答えられるのではないでしょうか。ひとりひとり、それぞれ生きている意味について答えることができるでしょう。

しかしながら、はたしてそれは問いにたいする本当の答えだと言えるでしょうか。本当にそれが私たちの生きている意味なのでしょうか。その答えに疑問の余地が残されているのだとすれば、答えではないかもしれません。自分だけにあてはまる答えは出せるでしょうが、それは誰もが納得できる本当の答えとは限らないでしょう。

では、誰もが納得できるような、生きている意味はあるのでしょうか。生きているわけや意味を聞かれたら、おそらくかんたんには答えが出てこないでしょう。答えが出てきても、それが本当なのか、と聞き返されてしまうと、かならずしも自信が持てないかもしれません。

このように生きている意味について問い、その答えをもとめようとして、それを突き詰めてゆくと、ひとつ気がつくことがあります。それは、私たちがこの問いかけをしているとき、「答えがかならずあるはずだ」と、どこかで思っていることです。つまり私たちは、答えを探しながら、そもそも「生きていることには何か**意味があるはずだ**」と思ってしまってはいないでしょうか。なぜ生きなければならないのか、生きている意味は何か、という問いは、その答えを出せるはずだ、「生きている意味はあるはずだ」という前提のうえに発せられているのではないでしょうか。

このような前提を持っているので、そのあるはずの意味を見つけ出そうとしますし、見つかるにちがいないと疑問もなく思っています。ですから、ふだん生きているなかで何をするにしても、そのひとつひとつのことにも、生きている意味と同様に、何か意味があると思っていないでしょうか。それらしい意味が見つからなくとも、「きっとこれには意味があるはずだ」と言い聞かせてはいないでしょうか。

たとえば勉強をしているときに、ふと「なんのためにこんなことをしているのだろう」と思うこともあるかもしれません。勉強する意味がよくわからないと感じ、勉強する意味などあるのだろうかという思いがよぎると、勉強は「将来のために意味あることだ」とか「就職するために意味あることだ」とか「幸せになるために意味あることだ」などと、自分に言い聞かせてはいないでしょうか。

こうやって私たちは、生きていることに意味があると思っています。本当に意味があるのだろうかと疑問に感じることがあっても、意味があるはずだと思い直すようにしています。そして、疑問に感じてしまった自分自身にたいして、さまざまな理屈を並べて「意味はあるのだ」と言い聞かせています。それはまるで、生きている意味を疑問視してしまったことへの言い訳のようです。

生きていることに意味があると言い聞かせておきながら、それが言い訳にすぎないのだとすれば、今度は心配になってくるかもしれません。探し続けている「生きている意味」は本当にあるのだろうか、本当に「生きている意味」は見つかるのだろうかと。

けれどもそのように心配しながら、私たちは、実際のところ、薄々気づいてきているのではないでしょうか。ずっと探しているけれども、本当は「生きている意味」などわからないのではないか、実は最初から**「生きている意味」はない**のではないかと。生きているということには、そもそもなんの意味もないのではないでしょうか。

意味もなく生きている

「生きている意味」はない、と言われてしまうと、では私たちはどうして生きている必要があるのか、疑問に思うかもしれません。「生きているのは本能だ」という意見もあるでしょうが、そうであるならば、ひたすら衝動的な本能に突き動かされるだけで済みますから、そもそも生きていることの意味への悩みが生じること自体がありえないでしょう。しかし実際には私たちは、そうではなく、生きていることに苦しみ、さまざまに悩みます。そのときに、生きている意味やいのちの価値が問いとして出てくるのです。

とはいえ、「生きている意味」はないと言われてしまうと、やはり納得しがたいのではないでしょうか。そんなこと認めたくはないのではないでしょうか。しかしそのような気持ちになるのは、「生きていることに何か意味があるはず」という前提があるからです。言い換えれば、「意味もなく生きているなんてありえない」と思っているからです。「生きていることには意味がなければならないし、意味もなく生きているのはダメなことだ」と思っているからではないでしょうか。

けれども、生きていることに意味がないのだとしても、それは本当にダメなことなのでしょうか。ダメだとすれば、意味を見出せないひとは、生きていてはいけないことになってしまいます。

たとえば世のなかには、理不尽に監禁されているひとがいます。そこで一生いることになれば、好きなことは何もできません。無理やりその場所にいなければならず、思いどおりのことを何もできなくなり、望ましい人生をあきらめるしかないでしょう。自分自身が生きていること、存在していることと自体が無視され、生きていないのと同じになってしまいます。このようなひとは、もはや生きている意味を見出せないでしょう。ではこうしたひとは、生きていてはダメになってしまうのでしょうか。

もっと身近な話で言えば、私たちは友人と長い時間、他愛もないおしゃべりをしたり、あるいは馬鹿げた遊びやふざけたいたずらをしたりしたという経験はないでしょうか。そのような経験はとても楽しく感じます。人生はすばらしい、とまでは思わないにしても、それなりに豊かで充実した瞬間ではないでしょうか。では、こうしたおしゃべりや遊びやいたずらに何か意味や有意義な成果があるかと聞かれれば、なんと答えられるでしょうか。意味があるのだと断言できるでしょうか。はっきりとは答えられないのではないでしょうか。

またたとえば、試験の前日で勉強をしなければならなかったり、明日までに仕事を仕上げて提出しなければならなかったりするのに、一日中夢中でゲームをして遊んでしまったことはないでしょうか。ずっと遊んでいて、当日の試験で役に立つでしょうか。提出に間に合わせることができるでしょうか。

いま取り上げたおしゃべりやいたずらやゲームは、自分自身の生存や人生の成功のために取り立てて必要なことではありません。ただちに役に立つものでもありませんし、あえて言えば、なくてもいいものでしょう。そのようなことをしている時間には、特段の意味があるわけでもありません。このことには、私たち自身も気づいているはずです。ですから、たとえばふざけているときに、明日の予定を思い出したり、誰かに叱られたりすると、急に我に返り、興ざめしてしまうことがあります。そしてせっかくの楽しい時間が、とくに意味のないこととして、白々しい気持ちになるのです。

けれども、おしゃべりやゲームをする時間に意味がないとわかっていても、そのときには夢中になってしまっています。意味のないことだとわかっていても、楽しく充実した感覚があります。まさに**生きていることを実感させてくれる**ものです。すると、先ほど取り上げたような事例は、無意味なことだとしても、ダメなことだと言い切れないのではないのでしょうか。

とはいえ、意味もなく生きていることを、現実にずっと続けてゆくわけにはいかないでしょう。やはりどうしても、自分自身が意味ある存在だと言い聞かせたり、世のなかで役に立つ存在だとアピールしたりせざるをえないでしょう。私たちはふだんの生活のなかで、たとえ意味がないとしても、このように自分自身の行いや人生そのものに「意味がある」と言い聞かせています。もちろん、そこに本当に意味があるのかと言われれば、かならずしもそうではありません。そして実際に意味がなくても、生きていてかまわないでしょう。しかし現実の世界は、意味ある存在として生きているよう私たちにもとめてきます。そのために、私たちは生きているとき、どれだけ無意味とわかっていたとしても、残念ながら、なんらかの意味づけをして言い訳して生きざるをえません。

死について問うには

ふだんの私たちは、生きていることに意味があると思っていました。そこに疑問を感じることがあっても、「意味があるはずだ」と言い聞かせてきました。意味あることだからこそ、生きているのに必要ないのちは大切に扱われなければなりません。そしていのちが大切で守るべきものだから、「死んではいけない」と言うのです。

このように見ると、私たちが死んではいけないわけを問うこと、あるいは死について問うことそれ自体には、大きな前提があるのがわかります。それは、死についての問いが、**生きていることではじめて成り立つ**ということです。そもそも、生きていないものには死という問題は出てきません。生きていることが前提となってはじめて、死が問われるのです。**死について問うことは、生きていることと切り離せません**。死についての問いが生きていることと切り離せないのと同様に、死そのものもまた、生と切り離すことはできないのです。

私たちはふだん、死ぬことを生きていることの反対、生きていることの否定と思っています。このように死を位置づけることができるのは、死が生とはまったく別のことだと思われているからです。ですから私たちは生きているなかで、死が無関係のことであるように思い、死から目を背けています。死と生を別々のことにしているので、死を思うことなく生きていることができてしまいます。

しかし実際には、生きていないものに死は訪れません。つまり生と切り離された死はありえず、死は生を前提としています。**生きているからこそ死について問うことができる**のです。したがって死について問うことは、突き詰めてゆくと、生きていることを問うことになります。それゆえ私たちは、死んではいけないわけを問う前に、まず生きていることを問わなければならないのではないでしょうか。

一度の人生をまっとうする

生きている意味について問うにしても、死ぬことについて問うにしても、どちらにせよ私たちが生きているということそのものを認め、それを出発点にしないことには、そもそも何も問いようがありません。こうした生きているとか死ぬとかいう問いだけでなく、ふだんからさまざまなことについて悩むことができるのも、楽しいことやうれしいこと、悲しいことや腹立たしいことを経験できるのも、そしていずれこの世界から旅立つのも、こうしたことは全部、生きているからこそ可能なのです。ですから、何もかも、**この生きていることですべて**だと言えるのではないでしょうか。あらゆることの前提となっていて、すべてを含んでいる、この生きていることそのものを、否定せずにすべて認めて受け入れること、つまり**生きていることの全肯定**が、まず必要なのではないでしょうか。

生きていることの全肯定とは、「生きていることはすばらしい」ということが言いたいのではありません。生きているときのすべての瞬間、すべての場面を、そのままそのとおりとして受け入れるという意味ですし、そこには「なかったこと」にするような否定的なものがないという意味です。

たとえば私たちは生きていれば、どうしても、やり直したい、忘れたい、と思うような嫌なことや苦しいことが少なからずあるでしょう。誰だって、後悔していること、思い出したくないことがあったり、「あのときに戻れたら」とか「生まれ変わったらこうしたい」とか思ったりすることもあるでしょう。私たちには誰であれ、このような「なかったこと」にしたい出来事、否定したいことがあります。

ところが、生きていることの全肯定とは、こうした嫌なことや苦しいことから逃れることができず、それらを**「なかったこと」にはできない**ということを意味しています。私たちは、嫌なことも苦しいことも含めて、すべてから目を背けずに引き受けなければならないのです。それは、何があっても**やり直しがきかない**ということです。つねにチャンスは一度です。私たちにとって生きていることは、この一度きりです。私たちは、この一度の人生以外にはないのです。ですから、この**一度の人生をまっとうすることですべて**なのです。

「人生にやり直しがきかない」と言われると、納得できないかもしれません。一度失敗しても、再チャレンジして成功したひとがいるではないか、と思うでしょうか。けれどもその場合、成功によって最初の失敗そのものが消えてなくなったのではありません。失敗の後に成功したという、この一度があるだけです。

またもしかしたら、前世からの生まれかわりとして現世を生きているひとや、来世で生まれかわる予定のひともいるかもしれません。けれどもその場合、現世で生きていることで前世が「なかったこと」にはなりませんし、来世の成功によって現世の失敗そのものが消えてなくなるのでもありません。

生きていることがこの一度きりということは、なんであれ「なかったこと」にできないということです。もし仮に、人生をもう一度最初からやり直すことができたとしても、いまと同じ人生をくり返すことになるでしょう。そして同じ嫌なことや苦しいことをもう一度味わうことになるでしょう。

「人生が一度きりしかない」とか「思い出したくもないようなことが消えてなくならない」とか「嫌なことや苦しいことを「なかったこと」にできない」とか言われると、絶望的な気持ちになり、残酷だと思ってしまうかもしれません。しかし実は、そのように思えるのは、「なかったこと」にしたいようなこととは反対の、肯定できることも体験しているからではないでしょうか。嫌なことや苦しいことだけでなく、たとえそれがわずかだとしても、楽しいことやうれしいこと、成功していることもあるからこそ、思い出したくもないようなことを帳消しにできたら、と思うのではないでしょうか。

　では、もし「なかったこと」にしたいことばかりの人生を送ってきたひとがいるとすれば、そのひとの生きていることそのものが全部否定されてしまうのでしょうか。

　たとえば先ほど取り上げた、理不尽に監禁されているひとの場合はどうでしょうか。それこそ、そのひとの存在自体「なかったこと」にされてしまっています。けれどもそのひとは、本当は「なかったこと」になっているのではありません。むしろ**そのひとがたしかに生きているのだとすれば、その人生がどれほど過酷で絶望的だとしても、その生きていることこそが、まさに肯定されなければなりません。**

　生きていることを肯定するということは、嫌なことも苦しいことも含めて全部肯定することです。私たちはこうしたことから逃れることはできません。けれども、逆に言えば、どれだけ過酷で絶望的な状況があるとしても、生きていることそのものが否定されることはないはずです。日々の生活のなかで、「生きていてはいけないのではないか」と思ってしまったり、「生きていることが否定されるのではないか」と思ってしまったりするときがあるかもしれません。しかしそれでもなお、生きているのはダメなのではなく、こうやって生きていること自体、たしかに肯定することができるのではないでしょうか。

参考図書

ニーチェ『ツァラトゥストラはこう言った』氷上英廣訳、岩波文庫
キルケゴール『不安の概念』村上恭一訳、平凡社ライブラリー
キルケゴール『死に至る病』桝田啓三郎訳、ちくま学芸文庫
サルトル『実存主義とは何か』伊吹武彦・海老坂武・石崎晴己訳、人文書院
レヴィナス『全体性と無限』藤岡俊博訳、講談社学術分庫

第一五章　私たちは「人間」でいられるのか

矛と盾

私たちは誰であれ、世界が平和で、日々の生活が平穏無事であることを望んでいます。それを望んでいないひとなど、ありえないないないでしょう。

ところが、現実には、世のなかの誰かが平和を乱し、平穏な生活を脅かしています。いまもなお世界のどこかで戦争があり、人間はたがいに殺し合っています。戦争がなくても、さまざまな事件のニュースが日々報じられ、人間は自分たちの生活を脅かし、世のなかを乱しています。このように人間は、誰もが望む平和や平穏を自ら破壊するようなことをしているのです。

「矛盾」という故事成語があります。それは、何をも貫き通せない堅固な盾と、何をも貫き通す鋭利な矛を売る者の話です。このように相容れないことを、私たちは世のなかで、そして日々の生活のなかで、実際におこなっているのです。

誰もが望むものを自ら破壊することなど、おかしな話だと思うでしょう。ですから、こんなことをするのは一部の限られたひとだと思うかもしれません。

けれども、ごく平凡だと思っていたひとが凶悪な事件を引き起こすこともありますし、戦争でもあれば、例外なくたがいに生活を乱し合い、戦場ではたがいに殺し合います。私たちは誰であれ、自分たちの望む平和や平穏を自ら壊すという、矛盾したことをするものなのです。私たちはずっとたがいに、何よりも堅固な盾を身につけようとしながら、何よりも鋭利な矛を持とうとしているのです。

「人間とは何か」という問い

私たちは人間です。人間であるはずです。これはあまりに当然なことです。ところが世のなかには、そして日々の生活には、およそ人間が実行したとは思えないようなことがあります。しかもそうしたことは、ごくまれなことではなく、身近なところでもたびたび起きています。そのとき、こうしたことを引き起こす人物が私たちと同じ人間だとは、どうしても思えないかもしれません。

私たちは誰もが人間です。しかし私たちは、「その人物は私たちと同じ人間だと思えない」と感じることがあります。つまり人間であるはずなのに人間らしくない人物、人間的でない人物がいるのです。もちろん、そうした人物が実際に人間でないことはないでしょう。しかし私たちは、人間らしくない、人間的でない、と感じるのです。たとえばあまりに冷酷なひと、あまりに残忍なひと、あまりに野蛮なひと、あまりに異常なひとがいたら、そのように感じるかもしれません。

このように私たちが人間らしくない、人間的でないと感じるということは、逆に私たち自身のなかで、人間らしく、人間的であるというのはどのようなことか、わかっているはずだということになるでしょう。

それでは、この**人間**というのはなんでしょうか。また私たちが感じる**人間らしさ**とはなんでしょうか。そして突き詰めてみれば、そもそも私たちはなぜ「人間だ」と言えるのでしょうか。それを私たちはわかっているはずなのですが、あえてこのような疑問を投げかけられると、すぐに答えを返せないかもしれません。実は哲学だけに限らず、どんな学問でも、私たち人間のことが問題となり、「人間とは何か」という問いに至ります。このように問われたとき、私たちならば、どのように答えるでしょうか。

私たちが「人間とは何か」と問われたら、まずは素朴に、ほかの生きものと異なっている点を答えようとするでしょう。つまり生物種としての**ヒト**とは何かということです。私たちは、ヒト固有の仕組みや構造をはじめとして、さまざまな特徴を探そうとします。そして関連するさまざまな学問をつうじて、ヒトについて説明することはできます。もちろんヒトについては、そのすべてが解明されているわけではありません。それでも私たちは、ほかとは異なるヒトという生物種について説明することができるでしょう。

しかしながら、生物種としてのヒトについてわかっても、それによって、「人間とは何か」がわかるのでしょうか。むしろ私たち人間には、ヒトとしての特徴だけではない、**人間らしさ**と呼ばれるものがあるように思います。この人間らしさということばには、何か独特の意味合いがあります。私たちはたんにヒトとして生きているだけではなく、人間として生きている、人間らしく生きているのです。「人間とは何か」という問いは、この人間らしさの意味を問うことではないでしょうか。

人間の人間らしさとは

あらゆる生きものは、空腹になれば、自己保存のために、本能や欲求に従ってすぐに何かを食べようとします。そうしなければ死んでしまうからです。空腹は、生存の危機の合図です。これは自然の摂理ですし、人間も例外ではありません。

ところが私たち人間は、お腹がすいても、ただちに食べはじめるとは限りません。場合によっては食事を後回しにします。人間は、本能や欲求をコントロールし、自分の行為を自ら冷静に制御できます。また私たちは、目の前のものにただ本能のままに反射的に反応しているだけでなく、大昔のことやずっと未来のこと、ミクロの世界や宇宙の果てまで、自ら問いを投げかけ知ろうとすることができます。私たち人間は、いま目の前にないものや無限に遠くのものについて知ろうとしますし、そして実際に知ることができます。だからこそ、歴史から教訓を得たり、将来を見越して備えたりします。

以上のことは、私たちが**理性**を持っているからできることです。私たちは、理性に従って**冷静**に決断し、行為を選択し、実際に行動することができます。私たちは、本能や欲求に振り回されることなく、思いどおりに生きることができるのです。

その一方で私たちは、かならずしも思いどおりにはならないことがあります。たとえば厳粛な場でつい吹き出して笑ってしまったり、映画を観て人目もはばからず号泣してしまったりしたことはないでしょうか。私たちは、あふれる感情を抑えることができません。このように、周りの状況から影響を受けたり、思いもよらぬことが降りかかったりして、なんらかの驚きとともに生じてくるのが**感情**です。感情は、それを引き起こすものがあって、それに反応して受動的に生まれます。

感情は、私たちの思いどおりにはならず、ときに私たちを振り回すものである一方で、実に多彩であり、細やかなことからも引き起こされるものです。たとえば、喜びの感情を笑って表現するとき、さまざまな笑いがあります。声をあげて笑うときもあれば、微笑むこともあり、表情の少ない笑いや不敵な笑みもあります。また私たちが感動するのは、何も露骨に感動的な出来事に遭遇したからだけではありません。日常の何気ないことに、大きな感動を受けることもあります。さらに私たちは、ひとの死を悼み、深い悲しみを表現します。そして場合によっては、時間が長く経過しても、悲しみが癒えないこともあります。

こうした楽しい気持ち、怒りや悲しみは、私たちの生活にさまざまな彩りを与えます。もし、なんの感情もなかったならば、無味乾燥でつまらない日々を送ることになるでしょう。人間は、こうした**多彩で繊細**な感情によって、きわめて豊かに生きていることができるのです。

人間でないのに「人間らしい」

冷静な判断を可能にする理性と、多彩で繊細な表現される感情を持っていることは、私たち人間の人間らしさを表すでしょうが、もちろん、これで人間らしさのすべてが説明できているわけではありません。しかし少なくとも、それらは「人間だ」と言える特徴、あるいは私たちが人間らしいと思える特徴でしょう。それでも、人間とは何か、人間らしさとは何か、その問いにたいする答えとしては不十分ではないかと思うひともいるでしょう。

私たち人間は、自分たちの住む地球環境や生態系についての探究を深めてきました。これによって、人間以外の生きものの生態について、これまで以上に多くのことが明らかになっています。その結果、人間とそれ以外の生きものとの間にあるちがいは、思うほど単純でないことが明らかになっています。たとえば人間の場合、ことばや道具を駆使することができ、それがほかの生きものとの決定的なちがいを示すものだと言われることはあります。しかし高度なコミュニケーション能力を持っている生きものや、道具を使うだけでなく、道具製作や加工の技術を備えた生きものもいることがわかってきています。そのまま食べてしまうことなく、未来のために食料を備蓄する生きものもいれば、私たちの想像以上に豊かな表情を示す生きものもいます。

このように見ると、先ほど人間らしさとして取り上げた特徴も、そのほかにも私たちが「人間らしい」と思っている特徴も、人間固有のこととは限らないかもしれません。そうは言っても、ほかの生きものに見られる人間と似たような特徴は、やはり人間と同じだとも断言できないでしょう。けれども、人間を「万物の霊長」と呼んだ時代はとうに過ぎ去り、人間は、ほかの生きものと大差ないように見えてしまうかもしれません。

ところで、私たち人間は、卓越した理性と豊かな感情を持って、文明社会を築き上げてきました。

いまでは、私たちの身の周りには、便利なものがたくさんあります。とりわけコンピューターや、それが内蔵された機械も広く普及しています。こうした機械のなかには、私たち人間にきわめて似ている機能を持ったロボットもあります。ロボットが登場した当初は、人間とのちがいも歴然としていましたし、あくまで人間の作業を補う機械にすぎませんでしたが、改良が積み重ねられています。

たとえばお掃除ロボットは、誰かが触らなくとも、自ら勝手に向きを変えながら進んで、掃除をしてくれます。人工知能の搭載された電化製品は、私たちが放っていても自動的に作動し、複雑なプログラムを誤りなく実行してくれます。これは、ロボット自身が行動を決めて作動しているように見えますので、冷静に判断する人間とよく似ています。

またたとえば、人間の声や表情に反応して笑ったり悲しい表情をしたりするロボットがありますし、センサーに反応して人間の動きに細やかに対応する機械もあります。これらは周りから影響されて表情豊かに反応する人間と、やはりよく似ています。

さらには、人工知能によって人間と会話ができたり、表情を見せたり、学習したりするロボットが登場しています。

こうしてロボットは、ますます人間に似てくるでしょうし、人間との間にあるちがいを感じさせないくらいまで進歩することでしょう。マンガや映画にあるような、きわめて「人間らしい」ロボットが登場するのも、そう遠い未来の話ではありません。こうなると私たち人間のほうは、「ロボットにはない人間らしさを持っている」と言い切れるでしょうか。

たしかにロボットは、人間と同じように独立に制御したり、何かに反応したりもします。しかしながら、ロボットをはじめとする機械の場合には、動作のプログラムがあらかじめ設計されています。つまり、決められたことを決められたとおりに実行するだけです。ロボットはあくまで、人間によって**作られたもの**にすぎません。どれだけ高度な技術が備わっていても、またどれだけすぐれた学習機能が備わっていても、プログラムに従うという前提があるのに変わりがなく、その決められたことを自動的に反復して実行するだけです。そのように言うと、「人間も遺伝情報があらかじめ備わっていて、本能に従って決められたことを実行するではないか」という意見も出てくるでしょう。

しかしロボットとはちがい、そもそも**人間は作られたものではありません**。ロボットが、同じ動作を正確に再現でき、たとえば工場で大量生産を可能にしているのにたいして、人間はふたつとない個体として誕生し、そのつど、二度と再現できないような細やかな動作をおこないます。そして芸術作品や手作りの工芸品のように、独創的なものを生み出します。この人間の動作は、裏を返せば、同じことを再現できない不正確なものだと言えます。

このように、ロボットと人間との間にはちがいがあるにしても、ロボットの進歩の速さを見れば、いま述べたようなちがいも、じきになくなるかもしれません。

物のような人間

私たちはたんに存在し、たんに生きているだけではありません。私たちは社会の一員として、誰かの役に立つ生き方をしています。そして私たちは、たがいに価値ある存在として認め合って生きています。こうした生き方もまた、人間の人間らしさを表しています。ところで、私たちが誰かの役に立っていることは、自分自身の価値をその相手に提供していることを意味します。また逆に、ほかの誰かが私たちに価値を提供してくれれば、私たちはその相手を「役に立つ」とか「便利」とか「都合がよい」とか思うのです。

私たちはふだん、さまざまな物を「役に立つ」と思っています。役に立つのは人間だけでなく、身の周りにある商品や道具のような物もあります。日常的には、これらの物を「役に立つ」と思い、扱うことのほうが多いでしょう。

すると私たちは、商品や道具のような物を扱うときと同じように、人間を扱うことがあるのではないでしょうか。もちろん、そのひとに価値があるからですが、私たちはそのひとを道具のように使い、商品のように消費しているのではないでしょうか。そして私たち自身も、ほかの誰かに都合よく使われ、消費されているのではないでしょうか。その際、自分自身がそのように扱われていると、かならずしも自覚していないでしょう。むしろ、誰かの役に立っていて、自分自身が価値ある存在だと思っていることでしょう。

私たちは、自分自身では価値ある存在、役に立つ存在と思っているとしても、周りからは物と同じように扱われ、消費されるだけの存在、使い捨てられる存在だと思われているのではないでしょうか。そして私たちもまた、ほかの誰かを同じように消費し、使い捨てているのではないでしょうか。

私たちが物と同じように扱われているのだとすれば、はたしてそれは「人間らしい」と言えるでしょうか。実は私たちは知らない間に、人間らしくあることをやめてしまい、商品や道具と同じようなものになってしまっているのではないでしょうか。

私たちが人間でいるために

私たちは「人間」や「人間らしさ」と言われて、それがどんなものか、思い浮かべることはできるでしょう。その一方で、人間ではないのに「人間らしさ」を持っているようなものも存在しています。また私たちはときに、人間を物のように扱うことがあり、逆に私たち自身が物のように扱われていることもあります。そして本章の最初で述べたように、私たちのなかには、とても人間らしいとは思えないような、冷酷で残忍な人物もいます。そしてそれは一部のひとに限られてことではなく、誰にでもありうるのです。それでは実際のところ、人間とは、あるいは人間らしさとは、いったいなんなのでしょうか。

私たち人間が本能や欲求に抗い、それを制御するには、決断や選択や実行に冷静さが必要です。冷静に行動することが、私たちの人間らしさを表しています。ほかの生きものと異なる人間らしさ、という点から見てもわかるでしょう。ところが、そのような冷静な行動は、冷たい印象を与えますし、場合によっては冷酷だと思わせます。つまり**冷静さは冷酷さにもなりうる**のです。

私たち人間は、周りからの影響にたいして単純に反応するのでなく、多彩で繊細な感情を表現します。そのような表現が人間をより高度で複雑にしています。この感情表現の豊かさが、私たちの人間らしさを表しています。そうした私たちの感情には、ポジティヴなものもあれば、ネガティヴなものもありますし、その程度にも幅が大きくあります。微妙な感情もあれば、激しい感情もあります。その激しい感情がネガティヴなものであった場合、周りが目を覆うくらいに、感情のあまり残忍で残虐な行動をともなうこともあるでしょう。つまり**感情の豊かさは残忍さや残虐さにもなりうる**のです。

私たちが人間らしくないと思うようなことは、実は私たち人間の人間らしさと矛盾しているのではありません。私たち人間の人間らしさは、人間らしくないと思っていることと、出処が同じなのです。私たち人間は、ひとつまちがえれば、とても人間とは思えないようなことをやりかねません。だからこそ、人間的でないこと、人間らしくないことは、一部のひとによる特別な事柄なのではなく、誰にでもありうることなのです。私たちが人間的で、人間らしくありうるのか、それとも人間的でなくなり、人間らしくなくなるのか、それは紙一重で決まってしまいます。私たちが人間らしい人間でいるのは、当然のことではありませんし、思うほどかんたんなことでもないのです。その意味では、人間であること、人間らしくあることにつねに疑問を投げかけ、「人間とは何か」「人間らしさとは何か」と問い続けなければならないのではないでしょうか。

私たちが人間らしい人間でいられるのがかんたんでない、と言われても、もう日々生きてしまっていますので、いまさら問うことでどうなるのか、どうしたらよいのか、困ってしまうかもしれません。私たちが人間であることや私たちの人間らしさを問うのならば、問うための手がかりとなるものは何かないのでしょうか。

人間らしさが紙一重で決まるということは、実は私たち自身がどのような未来に向かうのかによって決まるということを意味します。私たちの知識や技術も、豊かな感情も、私たちの行為の仕方や生き方も、私たちがつねになんらかの未来を思い描いていることで成り立っています。いま目の前にあるものに反射的に向き合い、現在のことを乗り越えるためだけに生きているのでなく、つねに未来のことを思い描いて生きているのです。その思い描いている未来とは、まだやって来ていないものですし、まだ存在していないもの、まだ知らないものです。知らないものだからこそ、私たち人間は知りたいと思い、その未来へとまた目を向けるのです。私たちが人間らしい人間でいるためには、どんな未来を思い描いて知ろうとしているか、というところに手がかりがあるのではないでしょうか。

参考図書

アリストテレス『ニコマコス倫理学』高田三郎訳、岩波文庫
パスカル『パンセ』塩川徹也訳、岩波文庫
デカルト『情念論』谷川多佳子訳、岩波文庫
ホルクハイマー、アドルノ『啓蒙の弁証法』徳永恂訳、岩波文庫
ドーキンス『利己的な遺伝子』日高敏隆・岸由二・羽田節子・垂水雄二訳、紀伊國屋書店

終　章　ふたたび哲学するために

日々の黄昏

気がついたら、一日がおわり夕暮れだった、という経験はあるでしょうか。今日という日があっと言う間に過ぎ去り、すぐに明日がやって来ます。私たちは未来に向かってずんずん突き進み、そして未来は私たちのほうにどんどん向かってきます。時間は残酷なまでに一瞬で流れ、今日は何事もなかったかのようにおわろうとしています。

けれども、今日の一日を振り返ると、いろんな出来事があったと思い出すことができます。たとえば、朝から清々しいほどの晴天で、見上げると澄みわたるほどの青空でした。気分がいいので、バスに乗って街まで出かけました。ちょうど近くの美術館で展覧会が開催されていたので立ち寄っていたら、久しぶりに旧友に出会いました。せっかくなので一緒に食事をすることになり、何を食べるか迷いましたが、友人の好きな料理を選びました。食後の腹ごなしに、交差点を横断した向こうにある広場でキャッチボールをして遊びました。疲れたので腰掛けて、宝くじが当たったらしたいことなど、他愛もないおしゃべりをして過ごしました。気づくとあたりは暗くなっていて、見上げると満天の星空でした。

このように、振り返って思い出してみると、その日には具体的で詳しい出来事があったはずです。日々は何事もなかったかのように、またたく間に過ぎ去りますが、そのおわりに振り返ると、日々はむしろたくさんの事柄や豊かな意味内容に満ちています。

考えることは哲学すること

私たちはふだん、目の前で起きるさまざまなことに向き合い、それに取り組んで生活しています。食事や着替え、通勤通学、日々の課業、遊びや娯楽、さまざまな人間関係をこなしています。このとき私たちは、たくさんのことについて、どうしようか「考えて」生きていると思っているでしょう。哲学は難しいことを「考える」学問だと思うでしょうし、哲学を学ぶときにも深く「考えて」いると思っているでしょう。このように、私たちはふだんからいろいろなことを「考えて」いて、とりわけ哲学では、よりいっそう「考えて」いるだろうと思っているはずです。

しかし、そもそもこの**考える**こととは、いったいなんでしょうか。私たちは、「考える」とは何か、あらためて問うこともなく、なんとなく「考える」と言っているのではないでしょうか。

何かについて「考える」とき、私たちは思いをめぐらしたり、論理を筋道立てたりしています。およそそのようなことをして、「考える」ことだと理解しているでしょう。たしかに、この「考える」ことによって日々の問題が解決し、生活の役に立っているのかもしれません。それは「考える」結果として「答え」が出ているからできることです。

けれどもそこで出された「答え」は、本当に答えだと言えるでしょうか。その「考える」とは実際のところ、目の前に現れた物事の表面をなぞって対処しているのにすぎないのではないでしょうか。しかしそれは物事に反応してるだけであるならば、感覚や印象と変わらないでしょう。反応するだけでは、まるで機械やロボットのようなものです。

これまでの本書の歩みを振り返りましょう。本書を読み進めてきて、かんたんな内容だったでしょうか。よくわからない内容だったでしょうか。あるいはそもそもどんな内容だったか、すっかり忘れてしまったでしょうか。いずれにしても、振り返ってみると、本書の内容はもちろんのこと、読んでいたときの周りの様子も含めて、さまざまなことを思い出すことができるでしょう。本書は、かならずしも「わかりやすい」内容ではなかったかもしれません。ちょっと何を言っているのかわからない、そう理解できないようなこともあったはずです。わからないまま読み飛ばしてきたかもしれませんし、その場で立ち留まって、あれこれ思案したかもしれません。しかしそのようななかでも、少なくとも、**何か引っかかるところ**がありながら、読んできたのではないでしょうか。

この引っかかるところがどうしてあったのかと言えば、それが私たちにとって当然だと思うことではなかったからです。いつもとちがうからこそ、引っかかりを覚えるのです。それがあたりまえのこと、ふつうのこと、常識ならば、そのまま気にせず読み進めていたでしょう。そうでないから、引っかかったのです。

それでは、この引っかかるところにたいして、私たちはどうしてきたでしょうか。「答え」を出してスッキリさせることにのみ力点をおいて、何かまだ引っかかってモヤモヤすることがあっても目をつむってきたのであれば、その「答え」は本当の答えではないですし、考えていたのでもないでしょう。

本書のなかでは、あたりまえのこと、ふつうのこと、常識と呼ばれるものについて、それが本当なのか、なぜなのか、疑問を持ちました。疑問を持つだけなら、日常的におこなってきているし、本書を読まなくてもできていたことでしょう。しかし私たちは本書をつうじて、本当なのか、なぜなのかとさらに疑問を持ち続けること、つまりどこまでも問い続けることをしてきました。これによって私たちは、多様な考え方、多様な価値観から、物事をとらえるようになりました。そして**疑う**というはたらきが出てきました。私たちは疑うことをつうじて、より本当の答え、より本当のわけを導き出そうとしました。これは、本当の意味で知っていると呼べるものにたどり着こうとすることです。私たちが疑うことで、何かについて**知る**ことができたのです。

本当の答えや本当のわけを導き出し、本当に知っていると呼べるには、いくつもの条件がありましたし、そこまでの道のりはかんたんではありませんでした。けれどもそのような道を歩むことで、最初に当然のように思っていることと比べれば、より本当のことを知っているのに気がつきました。そしてこうして疑い、知るということそれ自体は、実は私たちにとって特別なものではなく、ふだんからすでにおこなっていたのだとわかりました。

たとえば、試験のために勉強するときに公式や単語を覚えて、試験の当日に思い出しています。こうした作業を当然のように思っているかもしれません。その一方で、こんな勉強を、できればやりたくないと思うひともいるでしょう。とはいえ覚えないわけにはいきませんから、つらいのを我慢して、がんばって覚えようとします。けれどもこういうときに、ふと思わないでしょうか。「これを覚えて何か役に立つのか」「なぜこれを覚えなければならないのか」と。この問いかけは、試験のためにひたすら覚えなければならないこと、しかもそうすることが当然だとされていることにたいして向けられているのです。つまり、情報の入出力があたりまえのこと、ふつうのこと、常識だとされているのにたいして、別の観点からとらえ、疑問を感じるのです。しかしこうした疑問を持ちながら勉強するときには、最初に当然のように勉強していたのとは異なる段階にいます。そして疑問を感じている自分自身を振り返ると、そのちがいに気づくのです。

本書では、疑い、どこまでも問い続けることで、より本当の答え、より本当のわけを知ろうとしてきました。そして知ろうとしているものについても、疑問を持ちました。こうした問い続けることを、本書とともに追体験してきました。さらに、自分自身の行為や、私たちの生きている社会や、そうして私たちが生きていることそのものにまで問いを投げかけました。こうして振り返ると、私たちは、さまざまなことについて問い続けてきたことがわかるでしょう。そのなかに、私たちには何か引っかかるところがあったのです。そしてそれを私たちは問い続け、モヤモヤしたものが残ればさらに問いを投げかけたのです。

私たちは疑うことで、知ることができます。ただし、これによって獲得された知識は、本当に知っているると呼べるのかどうか、断言できません。きっとそこには、何か引っかかるところがあるはずです。ですから、その知っていることにもまた、疑うことができます。疑い、知ることは、一度でおわるとは限りません。疑い続け、本当なのか、なぜなのかとどこまでも問い続けます。このように、情報のたんなる入出力ではなく、何か引っかかるところに気づき、疑い、どこまでも問い続けながら本当の答えやわけを知る営みこそが、まさに**考える**ことなのです。

私たちがどこまでも問い続けることは、本当の答え、本当のわけにたどり着くまでおわることがありません。本書を振り返れば、こうしたどこまでも問い続ける営みがなんだったのかわかるでしょう。こうした営みはまさに、哲学することでした。ということは、考えることこそ、**哲学する**ことでもあるのです。そして私たちは本書をつうじて、哲学すること、考えることをおこなってきたのです。いま本書のおわりにたどり着いてはじめて、そのことがわかったのです。

問いはどこにでもある

私たちは考えること、哲学することによって、本当の答えや本当のわけについて、いつでも問い続けることができます。本書は、それをおこなうためのきっかけにすぎません。

私たちは、本書を用いることがなくても、ふだんからどんなことにでも哲学することができます。哲学すること、考えること、問い続けることができるのには、何か条件や制限があるわけではありません。問いは、私たちの身の周りのどこにでもあるのです。それをどこまでも問い続けるかどうかは、私たち次第です。

どんなことにも問い続けることができるのであれば、本書にたいしても、もちろん問い続けることができます。このことは、本書の内容が本当だとはかならずしも断言できないことを意味してきます。もしかしたら、**本書で書かれていることは最初からすべて嘘かもしれません。**

まさかそんなことはないだろう、最初から嘘だとわかっていながら本など書くわけがないだろうと思うかもしれません。嘘だらけの本を書こうと思うひとはいないでしょうし、ここでは本書の内容が全部嘘だと言いたいのではありません。けれども、本書の内容が全部本当だと断言できるわけでもありません。少なくとも、本書の内容は真に受けるものではありません。そしてそれは本書に限らず、ありとあらゆることにあてはまります。どんなものにたいしても、**真に受けず、鵜呑みにせずに、どこまでも問い続けること**を忘れてはならないのです。ふだんから私たちの身の周りには、「本当だろうか」「なぜだろうか」と疑問を持つことのできるものばかりです。問いはありとあらゆるところに、どこにでもあるのです。それらに疑問を持つだけでなく、さらにどこまでも問い続けなければなりません。さもなければ、本当のことは何もわからず、あるいは本当かどうか怪しげな情報を本当だと思い込むことになるでしょう。本書もまた、そうした怪しいものでできたものかもしれないのです。

トビラを開く

では、すべて嘘かもしれないものでできた本書は、なんのためにあるのでしょうか。本書を読んでも疑わしく怪しいばかりで、なんの意味もないのでしょうか。

すでに述べたように、本書では、あたりまえのこと、ふつうのこと、常識と呼ばれることに疑問を持ちました。しかもたんに疑問を持つだけでなく、批判的にどこまでも問い続けました。ですから本書とともに、どんなことにたいしても真に受けずに疑問を持ち、問い続けるという体験ができていれば、本書は意味を持ってくるでしょう。本書は、何かたいそうな真実や真相を披露するものではありません。本書はあくまで、私たちが考えるための、つまり私たちが哲学するためのきっかけにすぎないのです。

私たちは生まれながらに哲学しています。本書をつうじて、私たちはふたたび哲学することができるでしょう。そして日常的に問い続けたり、哲学を実際に学んだりと、さらに歩みを進めることができるでしょう。哲学という学問は、二六〇〇年以上の歴史があります。これまでに哲学者や思想家たちが、私たちを取り巻くさまざまなことについてどこまでも問い続け、多くの著作を残してきました。それらを私たちは、手にとって読むことができますし、哲学の授業や講座で学ぶこともできます。本書は、そうした哲学することを再開し、哲学の世界に入るためのトビラのようなものです。私たちは本書を開くようにして、哲学の世界へのトビラを開くのです。

おわりに

本書を読んでいただき、ありがとうございます。本書は、演劇や音楽を鑑賞する際のパンフレットのように、皆さんが哲学を学ぶ際に携えていただくものです。なんの素養も予備知識もなしに直接鑑賞を楽しむこともできるひともいますが、そのようなパンフレットがあることで、なおいっそう楽しめるひともいます。本書をつうじて、哲学の世界へのトビラを開いて、哲学にたいする興味や関心を少しでも深めていただければと思っています。もちろん、哲学によって、幸せな人生が約束されるわけではありませんが、少なくとも、人生が豊かになるのはまちがいないでしょう。

これまで、哲学をはじめて学ぶひとに向けて説明する際には、教科書の類を用いてきませんでしたし、哲学者の名前やその主張を単純に紹介することもしませんでした。というのも、哲学をどのように学ぶのかわからず、ふだん何かを勉強するときの学び方、これまで自分自身がおこなってきた学び方のまま、哲学と向き合おうとする場面を見るからです。それだと「哲学した」気になっただけでおわってしまい、いざ肝心の哲学そのものを直接取り組もうとする段階になると、「難しい」とか「何を言っているかわからない」とか言って引き返してしまうことになります。

本書の企画は、ミネルヴァ書房の水野安奈さんからいただいた一通のお手紙からはじまりました。本書の出版を熱心にご提案いただき、せっかくいただいた縁ですので、哲学者ではなく哲学を学ぶことができるように、一般の入門書以前に読んでいただくことを念頭において、一冊の本としてまとめました。執筆が当初の予定より遅延するなかでも、叱咤激励のことばとともに気を配っていただきました。最後に、刊行までに関わりのありましたすべての方に、お礼と感謝を申し上げたいと思います。

二〇二三年一〇月

青柳雅文

た　行

な　行

は　行

ま　行

や　行

ら　行

わ　行

索　引

《著者紹介》

青柳雅文（あおやぎ・まさふみ）

現在，立命館大学文学部・大阪経済大学人間科学部非常勤講師。『視覚と間文化性』（共著，法政大学出版局，2023年），『アメリカ批判理論——新自由主義への応答』（共訳，晃洋書房，2021年）ほか。

疑う、知る、考える　哲学をはじめる

2024年1月1日　初版第1刷発行　〈検印省略〉

定価はカバーに
表示しています

著　者　青　柳　雅　文
発行者　杉　田　啓　三
印刷者　坂　本　喜　杏

発行所　株式会社　ミネルヴァ書房
607-8494　京都市山科区日ノ岡堤谷町1
電話代表（075）581-5191
振替口座　01020-0-8076

冨山房インターナショナル・坂井製本

ISBN 978-4-623-09633-6
Printed in Japan

現代フランス哲学入門
川口茂雄
越門勝彦
三宅岳史 編著
A5判四四二頁
本体三五〇〇円

よくわかる哲学・思想
納富信留
檜垣立哉
柏端達也 編著
B5判二三二頁
本体二四〇〇円

時間をめぐる哲学の冒険
エイドリアン・バードン 著
佐金武 訳
四六判二七二頁
本体三二〇〇円

倫理学概説
小坂国継
岡部英男 編著
A5判三五四頁
本体三〇〇〇円

例解・論理学入門
弓削隆一
佐々木昭則 著
A5判一九二頁
本体二二〇〇円